Nos amies les plantes

Nos amies les plantes

Editions Famot

Traduit de l'italien
par Agnès Dollinger
et Arlette Ivackovic

111

Ency-
clopédie
des
plantes

Texte de Daniele Manta
et Diego Semolli

Introduction

La plante est, pour l'homme, une garantie de survie. Tant que nous verrons à nos pieds des étendues
de verdure, nous pourrons être rassurés et penser que
la vie est encore possible sur notre terre. Nous ne
voudrions pas nous trouver, comme le héros d'un
roman de science-fiction, devant le spectacle d'une
planète à l'agonie. Souhaitons pouvoir disposer toujours d'un vallon fleuri où délasser notre âme et notre
corps.

Nous avons oublié la Nature. Et cependant il
suffirait d'aller la trouver, de passer une heure à

contempler la vie mystérieuse d'un champ. Chaque
brin d'herbe, chaque buisson a sa raison de vivre ou
de mourir. Mességué dit vrai: nous nous sommes fait
de fausses idées sur l'utilité ou la nocivité de certains
êtres vivants: parlons des animaux, des plantes, des
insectes. Entre bêtes et plantes existe une merveilleuse
complicité. Efforçons-nous de ne pas la gâcher. Mességué écrit: «Nous nous conduisons à peu près sur la
Terre que Dieu nous a donnée comme un éléphant
dans un magasin de porcelaine, saccageant tout sur
notre passage, alors que nous devrions veiller avec
infiniment de tendresse à n'écraser ni le plus petit brin
d'herbe, ni la plus timide fourmi».

Combien de crimes commettons-nous dans la
nature! Finalement, ils se retournent contre nous-
mêmes, puisque nous faisons partie de la nature.
Qu'avons-nous fait par exemple en débroussaillant les
sous-bois? Nous avons tué des centaines de milliers
de fourmis et d'insectes divers. Ce faisant, nous avons
exterminé cette vaillante armée d'artisans et d'ouvriers
qui assuraient l'ordre botanique. Voyez par exemple
ce qui est arrivé au ver de terre: les Américains, après
l'avoir persécuté et pourchassé, sont maintenant en
train de le réhabiliter, créant de véritables usines pour
son élevage.

Dans nos facultés de médecine, à côté de la chaire
d'herboristerie et de phytothérapie, il devrait aussi y
avoir une chaire de phytosociologie. Parfaitement! les
plantes et les herbes sont organisées en classes sociales, avec une hiérarchie sociale, des privilèges, et pro-

bablement aussi des injustices sociales; il ne serait pas étonnant de lire dans un journal de l'an 3815 après J.-C., une nouvelle de ce genre: «Accord conclu entre le syndicat des conifères et le syndicat des ombellifères».

Les lois qui régissent les grandes communautés végétales viennent de Mère Nature. Dans chaque pré, dans chaque clairière, dans chaque bois, vit une communauté. Là, agit une dialectique végétale qui dans la pratique régit la vie de cette communauté verte: de grandes plantes, de très hauts arbres qui, orgueilleux et arrogants, déploient leurs branches dans le ciel et enfoncent leurs racines dans les profondeurs du sol, à côté des arbrisseaux, des plantes, petites et grandes, des herbes qui se cachent dans les coins humides à l'ombre des plus grandes et vivent dans cette ombre.

Nous avons parlé de grandes plantes, voulez-vous savoir quelle est la plus longue plante vivant sur la terre? D'ailleurs, elle ne vit pas sur la terre mais dans la mer: c'est la *macrocystis pyrifera* qui atteint 300 mètres. Et puisque nous sommes dans les chiffres, voyons combien nous connaissons d'espèces de plantes. Il y a peu de temps encore, les naturalistes classaient environ 100 000 phanérogames et 25 000 cryptogames; mais il faut retenir qu'il en existe beaucoup plus dans l'un et l'autre embranchements du règne végétal.

Si l'on songe qu'Hippocrate, au Ve siècle avant J.-C., décrivait 234 espèces de plantes et qu'encore au début du XIXe siècle on ne connaissait que 300 000 types végétaux, on se rendra aisément compte des énormes progrès accomplis par la botanique moderne.

Les plantes ont une sensibilité, le saviez-vous ? Cela est désormais prouvé scientifiquement, elles souffrent, se réjouissent et pleurent à leur manière. Cette sensibilité est voisine de celle que nous possédions, il y a quelques millions d'années, quand, tout gémissants et rampants, nous sommes sortis du règne végétal pour entrer dans le règne animal.

Les savants parlent, en se référant à la sensibilité des plantes, d'une « aura » comparable à une sorte de champ magnétique et produit avec plus ou moins d'intensité par la plante.

Il n'est pas douteux qu'émane du règne végétal une très forte influence à partir de laquelle les légendes antiques — légendes jusqu'à un certain point seulement — attribuaient quelque chose de sacré et de magique aux plantes. Comme cela arrive aussi entre êtres humains, il y a des plantes dotées d'une aura fortement rayonnante, et pour cela, d'une individualité, ou mieux d'une personnalité très forte. D'autres, au contraire, sont moins bien dotées. Ceci semblerait prouver que, comme il advient entre êtres humains et entre animaux, les plantes aussi sont sujettes aux sympathies et aux antipathies : comment expliquer autrement le fait qu'il y a des personnes qui n'arrivent absolument pas à faire survivre les plantes cultivées dans leur jardin ? Certains croient que les fleurs éprouvent de la joie, par exemple pour l'admiration qu'on leur porte et pour les soins reçus.

La Nature ne finit jamais de nous émerveiller. Il suffit de savoir la regarder et la comprendre. Dans la famille des malpighiacées existe une liane de laquelle, par un procédé très simple, on extrait un alcaloïde qui, pris à petites doses, augmente l'activité mentale et musculaire; chez certains sujets elle provoque un état psychique qui, selon les savants, apporterait une sorte de seconde vue: d'où le nom de «plante télépathique». Divers sujets, sous l'effet de la plante télépathique, avaient, d'après ce qu'écrivait le mécecin et naturaliste belge MAURIN, la vision de faits qui se produisaient dans des endroits très éloignés et en prédisaient d'autres qui se sont réalisés ensuite.

Nous savons que les peuples primitifs d'Afrique, d'Amérique et d'Asie empoisonnaient leurs flèches avec des drogues très puissantes qui entraînent rapidement la mort. Mais nous savons aussi qu'il y a d'autres phénomènes dont certains guerriers sont les protagonistes: par exemple dans le système de reconnaissance avant le combat, utilisé par les Indiens Huicols des pays du Peyotl. Une patrouille d'éclaireurs précède le gros des forces, se hissant sur les hauteurs et grimpant aux arbres. L'un d'entre eux, à peine aux aguets sur le poste d'observation choisi, avale une potion, puis scrute l'horizon: au bout de quelques instants, il est à même de faire son rapport, de dire si l'ennemi est en vue et, si c'est le cas, quels sont ses formations, ses effectifs et dans quelle direction il va attaquer. Ce qui est extraordinaire dans ce phénomène, c'est qu'avant d'ingurgiter la drogue, cet individu ne voyait qu'à quelques centaines de mètres, alors que sous l'effet de la potion il voit à une distance de plusieurs milliers de mètres. Les recherches scientifiques ont admis la possibilité du phénomène: il y a des plantes, dénommées «hallucinogènes», qui seraient effectivement capables de déclencher des

visions à distance, mais aussi de véritables hallucinations.

Qu'arrive-t-il donc dans ce mystérieux laboratoire
qu'est la terre, sous laquelle naît la vie?

Sous terre, à deux doigts de la surface, tout
s'enchaîne mystérieusement, solidement. Dans la
nature, rien ne se perd, rien n'est détruit car tout se
transforme, et est rendu à la vie sous d'autres formes.
Il y a de quoi rester stupéfait devant le miracle de la vie
végétale. Nos installations industrielles pour la fabrication du simple ammoniac à partir de l'azote et de
l'hydrogène ne résistent pas à la comparaison avec
l'activité de ce microscopique bacille qui n'a besoin ni
d'électricité à haute tension ni de très hautes tempéra-
tures. Nous voulons parler du *Bacillus radicicola*, doué
d'une faculté peu commune: celle de se nourrir
d'azote gazeux, comme nous respirons l'oxygène, et
de l'utiliser pour fabriquer les substances albumineu-
ses nécessaires à la construction d'un nouveau proto-
plasma cellulaire.

Micro-organismes, plantes, animaux, hommes sont
liés et dépendent étroitement les uns des autres en un
équilibre miraculeux. C'est celui qu'on désigne de nos
jours, en sacrifiant à la mode, par l'expression «d'équilibre écologique». Un beau jour, sur quelques mètres
carrés de champ où, à quelques pas sous terre s'éla-
bore la vie... — et même, il faudrait dire «se ré-éla-
bore» la vie — ...un beau jour, disions-nous, arrive un
bulldozer conduit par un être humain. La machine
creuse, retourne, jette dans un effrayant désordre ce
merveilleux équilibre. Personne ne s'est aperçu de
rien. Un coin de nature a été saccagé et violé. Passe

un promeneur qui, sur ce massacre, jette un œil distrait et continue tout aussi distraitement son chemin. Pour lui, il ne s'est rien passé. Et pourtant, ce monde dans lequel il vit n'est plus comme avant.

Oui, il faut que nous apprenions à regarder la nature, et surtout pour accepter d'en être complice. Nous sommes tous dans la même barque du destin. On a tué une violette? C'est un peu de nous-mêmes qu'on a tué. Ce chansonnier a raison quand il affirme que «l'important, c'est la rose»...

Dans la grande variété d'espèces et de familles de plantes herbacées nous avons fait un choix: nous nous sommes naturellement orienté vers les plantes herbacées qui ont des vertus curatives, cela pour donner la possibilité au lecteur, après qu'il aura lu notre premier volume, de connaître, au moins sommairement, l'identité de la plante dont il a dégusté la décoction ou l'infusion.

Mais le lecteur trouvera aussi, outre les plantes herbacées, des plantes ligneuses: nous voulons parler des vrais arbres. N'oublions pas que l'écorce ou les fruits de ces arbres ont des propriétés thérapeutiques et gastronomiques.

En somme, nous avons cherché et même glané, dans l'immense flore que nous offre la nature, des plantes connues, mais aussi des curiosités, les unes intéressantes du point de vue botanique et «historique», les autres simplement pour leur côté pittoresque.

ABSINTHE
famille des Composées

Il existe l'Absinthe commune (de son nom latin, *Artemisia absinthium*) plante aromatique de la famille des Composées, dite aussi Herbe sainte, ce qui laisserait supposer qu'elle possède des propriétés thérapeutiques. C'est surtout une boisson alcoolique, plutôt nocive et que consommaient souvent les personnages de Zola. Baudelaire la cite également dans *Les Fleurs du mal*.

Où la trouver? Dans les endroits secs, caillouteux, sauvages, en plaine et sur les collines. C'est une plante qui peut atteindre un mètre de haut. Ses feuilles, profondément découpées et duveteuses, sont gris argenté. Cette plante porte de nombreuses grappes de petits capitules pendants, dans lesquels sont rassemblées de nombreuses fleurs jaunes.

On connaît bien l'Absinthe sous la forme d'une liqueur fortement alcoolisée (70°) qui fut donc très à la mode au siècle passé. Elle est maintenant interdite en France, depuis 1922, en raison des ravages qu'elle fait dans l'organisme. Mais l'Absinthe a une autre propriété... celle d'éloigner les insectes. Avez-vous un chien? Prenez une poignée d'Absinthe, faites-la bouillir dans l'eau pendant une heure et demie, puis retirez-la du feu. Une fois cette décoction refroidie, prenez les herbes, frottez-en le chien à rebrousse-poil, puis lavez-le avec l'eau bouillie: les puces mourront en douceur de leur belle mort.

Il existe aussi l'Absinthe maritime (*Artemisia maritima*): plus petite, ses feuilles sont encore plus découpées. Naturellement, comme son nom l'indique, elle vit dans les terrains salins au bord de la mer. On l'appelle également «Sanguenitte vermifuge».

ACANTHE
Acanthus mollis
famille des Acanthacées

Depuis l'Antiquité, la magie a toujours attribué des pouvoirs particuliers à cette plante appréciée pour l'élégance de ses grandes feuilles à rosette, velues et dentelées, oblongues, finissant en une gracieuse volute retournée vers le sol. L'Acanthe, disait-on, est la plante de Mars, donc très propice aux «infusions» de force et de courage dans les moments cruciaux de l'existence. L'Acanthe, disait-on encore, aide à démêler les situations embrouillées, à résoudre les problèmes épineux et à surmonter les difficultés. Mais il faut savoir bien employer cette herbe: pendant les heures diurnes de Mars et les jours de Jupiter, sinon, elle pourrait prédisposer à l'imprudence, à la colère, la violence et la précipitation.

L'Acanthe est aisément reconnaissable, ne serait-ce que par ses feuilles réunies en une grosse touffe d'où se dresse une longue tige recouverte de folioles épineuses, au creux desquelles poussent des fleurs à pétales de couleur jaune paille.

Où trouve-t-on l'Acanthe? Nichée dans les ruines, en Italie, et dans les pays méditerranéens comme la Grèce.

Faut-il en dire un peu de bien? Cette plante sécrète un liquide visqueux, doté de propriétés astringentes et émollientes.

Le saviez-vous?

L'Acanthe pourrait, et même devrait, entrer dans l'histoire de l'art. Il semble bien en effet que ce soit de ses feuilles que l'architecte de Corinthe ait pris l'idée du dessin de ses célèbres chapiteaux: les chapiteaux corinthiens.

Détail intéressant: Les Grecs et les Romains distinguaient deux espèces d'Acanthe: l'Acanthe douce et l'Acanthe épineuse.

ACHILLÉE
Achillea millefolium
famille des Composées

Une légende grecque veut que ce soit avec cette herbe qu'Achille ait guéri Télèphe, roi de Mycènes.

Ceci dit, demandons ses «papiers» à l'Achillée mille-feuille; hauteur: 30 centimètres environ, signe distinctif des feuilles: segmentées à petits capitules disposés en corymbes terminaux. Date de naissance? Impossible à préciser. Lieu de naissance: idem, apatride ou multinationale à ce qu'il paraît (en France, en Italie, au Pakistan, dans la République de Saint-Marin, aux Etats-Unis, etc...). Destinée: vivre en liberté... pour être capturée, arrachée, séchée, utilisée en pharmacologie. On utilise surtout ses sommités fleuries dont on conseille de faire la cueillette en été.

Le saviez-vous?

L'Achillée mille-feuille (ou mille-feuilles) était très recherchée jadis par tous ceux qui exerçaient une profession consistant à donner des coups de sabre ou de hache ou... à en recevoir (spadassins, guerriers et assimilés). Pourquoi? Parce que l'Achillée est un cicatrisant de première qualité.

ACONIT NAPEL
Aconitum napellus
famille des Renonculacées

L'Aconit est une plante sauvage, vivace et dangereuse, dangereuse parce que fortement toxique.

On trouve en effet l'Aconit — connu des Anciens — parmi les ingrédients de diverses magies: il semble que, mélangé aux aliments, il produisait une insensibilité telle qu'«on aurait cru le patient mort». Selon la légende cette plante serait née de la bave de Cerbère quand Hercule délivra les ténébreux enfers de ce féroce gardien.

Il est un fait que l'Aconit contient l'aconitine, poison très puissant que jadis les Chinois et les Indiens de l'Antiquité connaissaient et utilisaient pour enduire la pointe de leurs flèches. Ne vous en approchez donc pas: en tout cas, rappelez-vous que les premiers symptômes d'empoisonnement à l'aconitine se manifestent par un prurit et des fourmillements, suivis d'une sensation d'angoisse, puis d'une gêne respiratoire aboutissant à la mort. Ce qu'il y a de bien dans cette histoire c'est qu'on garde sa conscience et sa lucidité jusqu'au dernier instant, mais dans la plus grande indifférence! De toute manière, pour les amateurs (de l'Aconit, pas de la mort), disons que les parties de la plante à utiliser sont les tubercules et que la saison de la récolte est l'automne.

Mais, j'oubliais de vous présenter cette plante: hauteur: un mètre environ, racines tubéreuses fusiformes, feuilles palmées, fleurs disposées en grappes de couleur bleu foncé. Domicile: l'Aconit préfère l'Europe où il est fort répandu, en particulier dans les Alpes, mais il existe dans les Pyrénées et dans les Alpes, un Aconit aux fleurs jaunes qui est le seul antidote de l'Aconit napel.

Précisons enfin qu'il fleurit de juin aux premiers jours de septembre.

ACORE ODORANT
Acorus calamus
famille des Aracées

L'Acore odorant, ou Acore, est originaire des Indes orientales. De là, il a envahi l'Europe et se trouve aussi en Amérique du Nord.

C'est une plante aquatique à l'odeur pénétrante, aux feuilles longues et tranchantes, aux petites fleurs d'un jaune verdâtre, aux fruits en forme de baies triangulaires rouge chair. Elle pousse le long des fossés, des canaux, des rivières et dans les terrains marécageux. Faites attention à sa tige, quand elle est fraîche, elle peut être dangereuse. Nous avons dit qu'il s'agit d'une plante provenant de l'Inde. En effet, depuis des temps immémoriaux, les Indiens l'utilisent comme médicament. On le récolte d'août à octobre-novembre. Ses propriétés thérapeutiques étaient également connues au temps de Pline. Ce roseau aromatique est aussi indiqué dans l'alimentation du bétail: les paysans le mélangent généralement au fourrage.

Le saviez-vous?

Saviez-vous que les chanteurs tirent de l'infusion d'Acore une voix plus mélodieuse et plus puissante?

AIGREMOINE EUPATOIRE
Agrimonia eupatoria
famille des Rosacées

«Eupatoire», pourquoi? Du nom d'un certain Eupator Roy qui, comme l'indique Olivier de Serres, la rendit célèbre. Son nom vient plus probablement du mot *hepa* qui signifie *foie* (d'où l'adjectif hépatique) du fait que l'Aigremoine est justement un remède efficace pour les maladies de foie. (Cet Eupator Roy, savez-vous qui c'est? Mithridate Eupator, roi du Pont, considéré comme l'un des pionniers de la toxicologie! Pour éviter de mourir empoisonné, il avait habitué ses organes à absorber quotidiennement leur petite dose de poison pour les y accoutumer.)

L'Aigremoine aime beaucoup les terrains ensoleillés, le bord des champs, les talus, les sentiers dans la campagne, les clairières et la lisière des bois.

En allant vous promener dans ces lieux, vous pourrez la reconnaître par certains détails: maigre épi de fleurs jaunes à cinq pétales très étroits, qui atteint parfois jusqu'à un mètre de haut, calices fructifères durcis, à dix cannelures avec de petites soies recourbées en crochets qui ont une prédilection pour nos cheveux ou nos bérets, feuilles alternées et divisées.

Le saviez-vous?

Les cosaques se servaient souvent, jadis, de la décoction d'Aigremoine contre les parasites intestinaux de leur bétail.

AIL
Allium sativum
famille des Liliacées

Nous ne nous étendrons pas sur le signalement et l'état civil de cette plante: nous la connaissons tous, ne serait-ce que de vue. Il semble que son nom provienne du mot celte *all* qui signifie *chaud, brûlant.*

Lieu de naissance: selon certains, cette plante proviendrait des steppes kirghizes; selon d'autres, sa patrie d'origine serait l'ardente Sicile.

Passons rapidement aussi sur ses multiples propriétés médicamenteuses dont nous avons abondamment parlé par ailleurs. Rappelons seulement que les peuples qui font une abondante consommation d'Ail, souffrent rarement du cancer. Rappelons aussi que l'Ail, en tant qu'aliment, était utilisé par les ouvriers qui construisaient la grande pyramide de Gizeh sous la IVe dynastie égyptienne. Rappelons encore qu'en médecine vétérinaire l'Ail peut s'employer contre le ballonnement des ruminants: une tête d'Ail cru pilé dans un demi-litre de lait froid. Rappelons pour finir l'existence du «vinaigre des quatre voleurs» dans la recette duquel entre aussi la sauge (voir à ce mot).

ALCHEMILLE
Alchemilla vulgaris
famille des Rosacées

Il nous faut aller, pour la découvrir, dans les pâturages alpins; là, on trouve l'Alchemille vulgaire qui constitue un «clan» dans la grande famille des Rosacées: en effet, les espèces en sont nombreuses et diverses.

Pour la reconnaître, regardez ses feuilles: elles sont arrondies et plissées, palmées-composées; puis, regardez ses fleurs: petites, vertes, en épis avec calice de quatre à dix lobes. Cueillette: attendez le moment de la floraison, juin-août; cueillez alors feuilles et fleurs qui, séchées au soleil, vous serviront à la préparation de décoctions et de sinapismes.

ALKÉKENGE
Physalis alkekengi
famille des Solanacées

L'Alkékenge, souvent plus connu sous le nom charmant d'amour en cage, a une nombreuse parenté: avec la pomme de terre, le poivron, l'aubergine, la belladone, la stramoine, la jusquiame, etc..., certaines parmi ces plantes sont des parents «recommandables», d'autres le sont beaucoup moins ou pas du tout!

Notre Alkékenge vit sous deux conditions sociales: englobé dans le «système», autrement dit, cultivé, bien soigné, choyé, pour les utilisations et la consommation pharmaceutiques et culinaires; nous le trou-

vons, ainsi embourgeoisé, en France, en Allemagne et
en Espagne. Il y a d'autre part l'autre Alkékenge qui
aime la vie sauvage et vit dans les terrains incultes, le
long des fossés, caché dans les haies ombragées et
dans les ruines, dans les lieux humides et sur les terrains calcaires, il n'a pas de préférence, vit en région
montagneuse ou dans la plaine: comme tel, nous le
trouvons au moins sur trois continents, l'Europe,
l'Asie et l'Amérique du Nord. On le reconnaît à ses
petits fruits de couleur orangée, en forme de lanterne
chinoise (d'où l'un de ses noms vulgaires), si décora-
tifs, disposés à l'aisselle des feuilles: ils s'y montrent là
d'une façon un peu impertinente de mai à octobre.

Le saviez-vous?

Saviez-vous qu'en Italie et tout particulièrement en
Lombardie, les fruits de l'Alkékenge se vendent dans
les pâtisseries tout enrobés de chocolat?

AMARANTE
Amarantus caudatus
famille des Amarantacées

Plante herbacée annuelle qui croît spontanément
dans toute l'Italie, de préférence dans les ruines et sur
les murs des maisons de campagne. Le commerce s'en
est emparé, aussi l'Amarante est-elle maintenant cultivée comme plante d'ornement. On ne peut manquer
de la reconnaître en raison de ses feuilles alternées et

de ses fleurs d'une couleur jaune clair qui s'épanouissent en août. Elle est utilisée aussi en médecine pour ses fleurs et ses feuilles dont la substance mucilagineuse qu'elles contiennent permet de donner un excellent coup de fouet aux intestins paresseux. Les feuilles et les sommités fleuries se font sécher à l'ombre.

L'Amarante est une plante adoptée par la magie qui la considère, selon l'expression imagée des spécialistes de sciences occultes comme typiquement «écolière». Il paraît en effet que sa fleur mise en petits sachets portés sur soi, favorise l'équilibre physique, aide à conserver la santé et à prolonger la jeunesse... des petites classes.

Le saviez-vous?

Saviez-vous que les Anciens attribuaient à l'Amarante le pouvoir de rendre immortel celui qui portait cette fleur?

ANANAS
Ananas sativus
famille des Broméliacées

Plante arbustive à feuilles longues, étroites et pointues, propre aux pays tropicaux. L'Ananas provient en fait de l'Amérique tropicale. Le premier à l'avoir signalé fut Fernandez de Oviedo y Valdes. Cet auteur dans son *Histoire générale et naturelle des Indes* vantait la saveur délicieuse de ce fruit. Dans son pays d'origine,

le Brésil, la plante est appelée Nana ce qui signifie
«parfum». Ananas veut donc dire «parfum des
parfums».

Ce fruit a toujours été tenu en grande estime, avant
tout, pour sa beauté et pour son goût qui en fait l'un
des plus appréciés de tous les gourmets, mais aussi
pour son parfum. Il ressemble à une grosse pomme de
pin de couleur jaune.

Quand Christophe Colomb arriva en Amérique, il
découvrit que l'Ananas servait non seulement d'aliment, mais aussi de boisson aux indigènes.

La diffusion de l'Ananas en Europe est donc relati-
vement récente, si nous prenons le siècle comme
unité de mesure. Du reste, il n'y a pas longtemps que
l'industrie a découvert le moyen de conserver ce fruit
en boîte. Ce n'est pas ici le lieu d'en parler, sachez
cependant que ce fruit contient: des sucres, des
protéines, des sels minéraux et des vitamines A, B_1,
B_2, et C.

ANÉMONE PULSATILLE
Pulsatilla vulgaris
famille des Renonculacées

L'Anémone pulsatille ou Pulsatille est une belle
plante herbacée vivace avec peu de feuilles, toutes
groupées à la base et très découpées, et des fleurs violettes qui s'épanouissent dans les prés et les bois clairs
des zones chaudes de l'Europe centrale, septentrionale
et du sud, et même parfois jusqu'en Sibérie. En
France, elle est assez commune.

L'Anémone pulsatille fraîche est vénéneuse car sa tige contient une substance toxique, la protoanémonine, mais une fois séchée elle perd sa toxicité.

On en fait la cueillette avant la fin de sa floraison. A peine cueillies, les fleurs doivent être séchées et ne peuvent être utilisées au-delà d'une saison. Pour sa conservation, préparer un alcoolat: fleurs d'Anémone pulsatille macérées pendant dix jours dans leur poids d'alcool à 90°.

Connue de la médecine pour ses qualités antispasmodiques des organes génitaux, des toux en général, et efficace également pour calmer les migraines et les troubles cardiaques, l'Anémone pulsatille ou «Pulsatille» ne doit en tout cas être utilisée qu'avec la plus grande prudence pour éviter de sérieux accidents.

Pour la cultiver, il suffit d'un terrain calcaire, bien drainé et d'une terre artificielle légère, mais non acide. On sort les jeunes plants avec leur terre et on les repique ainsi. Rappelez-vous qu'il ne faut prélever les pieds d'Anémone pulsatille que dans des endroits où elle abonde, en Normandie par exemple, car ailleurs, cette fleur est souvent protégée en raison de sa rareté.

ANETH
Anethum graveolens
famille des Ombellifères

L'Aneth ressemble beaucoup au fenouil, c'est pour cela qu'on l'appelle vulgairement Fenouil puant, car il diffère du fenouil par une odeur plus accentuée.

L'Aneth est originaire de l'Asie occidentale, mais il

est répandu même dans les régions méridionales et également en Occident, où nous le voyons pousser dans les champs de blé, dans les terrains chauds et légers. On le cultive aussi parfois dans les jardins.

Les graines de cette plante annuelle doivent se semer à peine récoltées si l'on veut qu'elles germent bien. Cette ombellifère demande une bonne exposition.

Cueillette: quand les fruits sont bruns, on les détache de l'ombelle avec des ciseaux; après quoi, on les laisse sécher trois jours à l'air, puis on les secoue sur une toile; enfin, on les choisit après les avoir passés au tamis. Les voilà prêts à être conservés dans des boîtes hermétiquement closes.

ANGÉLIQUE
Angelica archangelica
famille des Ombellifères

Cette excellente plante, originaire du nord de l'Europe, peut atteindre jusqu'à deux mètres de hauteur. En Italie, elle existe depuis quelques siècles — à peu près depuis le Moyen Age — et vit généralement comme une plante domestiquée, cultivée par les hommes, «chouchoutée», bien soignée. Il existe aussi une Angélique qui vit à l'état sauvage.

Vous vous demandez comment la reconnaître: commencez par observer sa tige, qui est creuse, et ses feuilles très découpées. Quant à la racine, elle a une forme vraiment tordue, elle est de couleur sombre et il en émane une forte odeur aromatique: c'est la raison qui la fait considérer, en phytothérapie, comme un excellent stimulant et un bon digestif. La récolte se fait entre juin et juillet: de bon matin, disent les textes.

Précisons pour les amateurs scrupuleux et exigeants que celui qui veut tirer le maximum des multiples propriétés bénéfiques de cette plante et avoir une garantie de pureté, devra la cultiver dans son petit jardin personnel, car dans le commerce, il est quasiment impossible de la trouver fraîche. Cette culture doit se faire dans un terrain non argileux et bien exposé au soleil. Après avoir bêché en cassant les mottes jusqu'à une profondeur de 20 cm dans le sol, il faudra fumer avec du fumier vieilli, car le fumier frais donne un mauvais goût à la plante et la fait grandir trop rapidement.

Mois idéal pour l'ensemencement: mars ou septembre. L'Angélique doit être arrosée fréquemment.

Récolte: la première année, on ne cueillera que les tiges secondaires; la seconde année, la tige centrale. La troisième année la plante n'a plus rien à offrir et meurt.

ANIS VERT
Pimpinella anisum
famille des Ombellifères

Originaire de l'Orient, l'Anis est une plante de taille moyenne, velue, avec des fleurs blanches disposées en ombelle qui s'ouvrent en juillet et sont ensuite remplacées par des fruits minuscules, fibreux et de forme ovoïde. Les feuilles basses sont à lobes arron-

dis, celles de la tige sont pointues et rétrécies à la base.
Les graines d'Anis doivent être recueillies de préférence à la rosée du matin. Pour la culture de l'Anis,
une terre riche, légère, exposée au soleil est indispensable. L'ensemencement se fait d'ordinaire après les
dernières gelées, dans une terre bien retournée et avec
des graines qu'on aura «conservées tout l'hiver mélangées à du sable humide», ainsi le recommandent les
grands auteurs. En effet, à l'air libre, les graines perdent toute faculté germinative. La culture de cette
plante aromatique ne requiert que quelques sarclages
et quelques arrosages. Ses propriétés thérapeuthiques
peuvent, dans l'ensemble, se comparer à celles du
fenouil sauvage. Les fruits se récoltent au mois d'août,
ils possèdent d'excellentes propriétés stimulantes et
carminatives. «L'Anis», c'est Chomel qui parle, «est
bon pour les enfants qui sont sujets aux cauchemars».
C'est vrai. L'Anis, en effet, a une action bénéfique sur
les troubles légers d'origine nerveuse: maux de tête,
palpitations, vertiges, etc... N'oublions pas de dire que
c'est un excellent stimulant de la sécrétion lactée.

ARMOISE COMMUNE
Artemisia vulgaris
famille des Composées

Voulez-vous marcher vite, encore plus vite? Voulez-vous faire de longues, longues chevauchées? Eh
bien! garnissez-vous les jambes de bandes de peau de
lièvre taillées dans un tout jeune animal, un «levraut»,
dans lesquelles vous coudrez des armoises séchées à

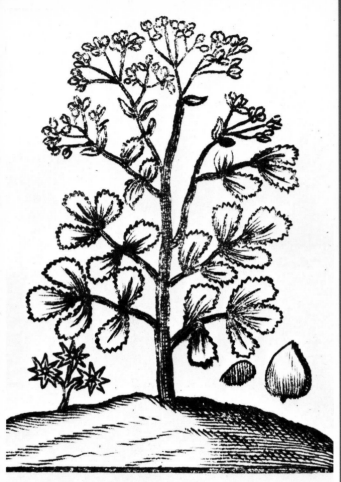

Anisum Anisum Chinæ

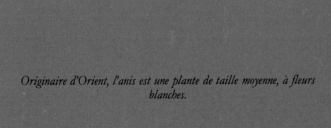

Originaire d'Orient, l'anis est une plante de taille moyenne, à fleurs blanches.

l'ombre. C'est une recette infaillible affirme un vieux traité de magie blanche. L'Armoise a aussi sa place dans la magie noire : dans certaines régions de France, on considère un bouquet d'armoise, obligatoirement récolté avant l'aube au matin de la Saint-Jean, comme un porte-bonheur qui protège du mauvais œil.

Ceci dit, allons la cueillir. A la vérité, il n'y a pas à aller bien loin : l'Armoise préfère, en effet, vivre près des maisons, dans les décombres, sur le bord des routes et le long des voies ferrées. On la reconnaît à son élégante vivacité : haute d'un mètre et plus, ramifiée, au feuillage vert foncé, ses capitules duveteux, très serrés, très abondants sur les branches, sont là pour nous indiquer que nous avons bien affaire à notre Armoise.

Le saviez-vous?

Saviez-vous que l'Armoise vient du nom latin de la déesse Artémis, divinité qui veillait sur les femmes lorsqu'elles étaient malades?

Saviez-vous que, mise dans les chaussures, elle supprime la fatigue? Oui, nous avons déjà évoqué ces précieuses qualités dans notre premier paragraphe.

ARNICA
Arnica montana
famille des Composées

Comment l'identifier? On la reconnaît à ses fleurs jaune orangé, à ses feuilles à base ovale, mais surtout aux deux petites feuilles opposées qui se font face à mi-hauteur sur la tige. L'Arnica est une plante vivace qui pousse dans les prés et les bois alpins, elle s'épanouit aussi le long des sentiers des Pyrénées, des Vosges, des Cévennes et des Apennins. Regardez-la bien, mais ne la cueillez pas: l'Arnica est une plante vénéneuse. Cela dit, ajoutons que dans l'Antiquité, comme peut-être encore de nos jours, les montagnards étaient habitués à la fumer et priser comme on le fait avec le tabac.

Précisons encore que cette plante herbacée contient de l'arnicine avec laquelle on fait la teinture utilisée en cas d'entorses, foulures, contusions et traumatismes en général.

On recherche ses fleurs plus que ses rhizomes: les premières se récoltent en juillet-août quand elles sont encore en boutons; on les fait sécher au soleil ou sur un poêle. Les seconds, c'est-à-dire, les rhizomes, se récoltent en automne, on les fait sécher après les avoir lavés.

ARTICHAUT
Cynara scolymus
famille des Composées

L'Artichaut est une des plus belles conquêtes de la phytothérapie, a-t-on dit. Nous ne reviendrons pas sur ses propriétés thérapeutiques. Nous n'allons pas non plus le faire paraître à nouveau sur nos tables où, comme nous l'avons vu, il occupe une place d'honneur.

Il s'agit d'une plante herbacée, atteignant près d'un mètre de haut, à la tige cannelée, aux feuilles larges et allongées, d'une couleur vert cendré; les fleurs à capitule sont constituées de grosses écailles d'un vert violacé. L'Artichaut pousse dans presque tous les pays d'Europe et se plaît tout particulièrement sur la côte bretonne mais aussi en Méditerranée. Sa culture est très répandue dans les jardins. Récolte: au printemps.

Le saviez-vous?

Saviez-vous que les fleurs d'artichaut font cailler le lait? Saviez-vous que ses feuilles, coupées et bouillies, donnent aux tissus trempés dans leur eau de cuisson une couleur de vigogne dorée?

Saviez-vous que les Artichauts cuits se conservent très mal et deviennent la proie de divers microbes?

Saviez-vous que les jeunes Artichauts, consommés crus avec de l'huile d'olive et du sel, sont un hors-d'œuvre de choix?

ARUM
Arum maculatum
famille des Aracées

L'Arum est une plante à l'allure plutôt bourgeoise: elle n'aime guère les aventures, ne pense qu'à elle, et mène sa petite vie sans honte et sans gloire dans les bois et les broussailles. Regardez ces feuilles tachetées de noir aux nervures très marquées, remarquez d'ailleurs que l'une d'entre elles fait complètement le tour de la feuille. Pour voir les feuilles de l'Arum, il faut attendre la fin de l'hiver; quand la végétation est encore en léthargie, elles n'apparaissent guère. C'est vers avril seulement que la plante dévoile ses beautés: il s'agit d'une fleur étrange, une espèce de cornet blanc verdâtre, duquel sort un fragile spadice violacé qui se dresse comme un doigt: comme s'il guettait les insectes... qu'il capture régulièrement. Si vous repassez au même endroit au début de l'été, vous retrouverez un gros épi de baies rouge vif: attention, les enfants, n'y touchez pas et goûtez-y encore moins: ces baies sont très toxiques.

Nous avons dit au début que l'Arum est une plante, comment dire, «bourgeoise» et voici pourquoi: la fécondation des fleurs se fait d'une manière clandestine, par les insectes qui, en pénétrant dans la spathe y restent prisonniers, car les filaments qui en ferment l'entrée ne leur permettent pas de ressortir. D'autre part, dans la spathe, les pauvres prolétaires d'insectes trouvent un liquide nutritif qui les désaltère et ils en boivent à s'en étouffer. Naturellement ils ont d'abord fait leur devoir: celui de provoquer la fécondation. A la maturité, la spathe de l'Arum disparaît et les fleurs femelles qui se sont transformées en baies, illuminent les bois et les pentes de leur rouge éclatant.

Le saviez-vous?

L'Arum est toxique... mais malgré cela, la racine devient comestible après quelques ébullitions et, paraît-il, même assez nutritive. La fécule qu'on en extrait mériterait une place d'honneur parmi les héros de l'histoire de France. Un historien écrit en effet que, pendant les périodes de grande famine, cette fécule a nourri les patriotes, en particulier sous la Terreur.

ASCLÉPIAS
Asclépias vincetoxicum
famille des Asclépiadacées

Asclépias... brrrr!... vient du latin *asclépias* qui à son tour dérive du grec *asklepias* qui lui-même venait du nom d'Esculape, dieu de la médecine. Ce qui signifie que la plante était recherchée par la médecine dès l'Antiquité, ou plutôt sa racine, car la racine de l'Asclépias est utilisée comme stimulant, émétique et diurétique.

C'est un arbrisseau aux branches très fournies, aux fleurs roses ou blanches et aux graines munies d'une longue aigrette. Les Anciens aux Indes, en tiraient une boisson qu'ils appelaient «rayon de lumière», en hindou «soma». En effet, dans les livres sacrés, il est écrit: «Nous buvons le soma, nous deviendrons immortels».

En réalité, l'action plus prosaïque de la boisson était de procurer une forte ivresse alcoolique qui entraînait le patient aux confins du délire, avec un arrière-plan religieux. On obtenait le breuvage par la fermentation de l'Asclépias acide.

ASPERGE
Asparagus officinalis
famille des Liliacées asparagoïdes

Nous pensons qu'il est inutile de demander à l'intéressée ses pièces d'identité: l'Asperge, en effet, jouit d'une carte de résident permanent... à la cuisine où les ménagères en font une botte qu'elles déposent dans une casserole avec délicatesse pour ensuite servir les Asperges bien entières à table. Sur les variétés culinaires de cette plante herbacée, nous nous sommes longuement étendus dans le tome II. Nous ajouterons seulement que les auteurs romains Pline et Martial l'avaient appelée *Prodigia ventris* et que les plus prisées étaient alors celles qu'on cultivait dans les marécages de Ravenne.

Pline et Martial disaient vrai: les peintures d'Asperges encore visibles sur les tricliniums (trois divans disposés sur trois côtés) des maisons d'Herculanum et Pompéi sont là pour le prouver.

ASPÉRULE ODORANTE
Asperula odorata
famille des Rubiacées

L'Aspérule ou l'élégante, ou la sorcière. Elle est belle, parfumée, séduisante. On la reconnaît à ses petites fleurs blanches à quatre lobes, à ses collerettes de feuilles disposées par sept ou huit: il m'aime, un peu, beaucoup... avant de l'effeuiller, le compte est vite fait: c'est... «pas du tout» si on commence par «il m'aime»... Elle dégage un parfum délicieux. Elle aime les sous-bois où elle pousse en compagnie du hêtre. On trouve l'Aspérule en Alsace et en Moselle, en Italie du Nord, mais aussi dans les hêtraies du Sud.

Elle porte un surnom qui lui va fort bien, celui de «Etoile odorante». Elle fleurit, en avril et mai en France, en mai et juin en Italie; si vous voulez la récolter attendez la floraison. On se sert de tout dans cette plante et nous avons parlé par ailleurs de ses propriétés thérapeutiques.

Sachez que l'infusion d'Aspérule plaît et fait beaucoup de bien à qui est en bonne santé? Ce n'est pas pour faire de l'esprit, mais pour dire qu'on peut l'utiliser le soir au lieu du thé qui, lui, est un excitant.

Savez-vous que, dans les pays de l'Est et en particulier en Allemagne et en Alsace-Lorraine, on en fait un vin qui rend euphorique? On l'appelle le «vin de mai».

Savez-vous que cette si élégante Aspérule a une influence sur la sécrétion lactée des ruminants?

La petite histoire, traitant de la contribution des

vaches à l'unité italienne, cite l'Aspérule qui aurait
favorisé la sécrétion lactée d'une certaine vache, qui
aurait donné du lait pour un certain fromage,
qu'aurait mangé le beau-frère d'un certain homme
politique, lequel aurait fait un certain discours... sug-
géré par ledit beau-frère, discours qui aurait éclairci
les idées du secrétaire particulier de Cavour, qui...

AUBÉPINE
Crataegus oxyacantha
famille des Rosacées

Il y a des pays où, au printemps, tout n'est que
blanche Aubépine. Regardez-la bien au printemps,
époque de sa floraison, elle est toute blanche. Puis,
regardez-la en automne, et vous la verrez chargée de
fruits rouges.

L'Aubépine est une plante très connue, qui pousse
en Europe centrale et méridionale. Elle se présente
comme un grand arbuste avec des branches épineuses
et des fleurs espacées. La floraison est très brève, les
fleurs doivent être cueillies quand elles sont encore en
bouton au début de leur éclosion: puis, les pétales se
séparent pendant qu'on les fait sécher. L'Aubépine
aime les haies: c'est là sa demeure de prédilection.
Tant qu'existeront des haies il y aura toujours de
l'Aubépine. Cette plante fait partie de la catégorie des
herbes dites «tranquilles» en ce sens qu'elle apaise les
tensions et invite au sommeil. Et c'est la raison pour
laquelle, peut-être avec un peu de malice, on l'a
parfois surnommée «le bonnet de nuit».

AUNÉE (ou GRANDE AUNÉE)
Inula helenium
famille des Composées

Appelée vulgairement «Hélénine», œil-de-cheval ou antivenin, l'Aunée, à ce qu'on dit, est originaire de l'Asie. Cette belle composée possède des capitules jaunes de près de huit centimètres de largeur, des feuilles très grandes à la base (elles atteignent jusqu'à 80 centimètres), et dépasse facilement un mètre de haut. Elle fleurit pendant la saison d'été. Sa culture doit se faire dans une terre fraîche, bien bêchée et retournée. Il faut confier à la terre les semences d'Aunée en mars, «dans le grand vent et en plein air». Une fois qu'elle a pris racine l'Aunée ne demande pas beaucoup de soins, en dehors de quelques sarclages et arrosages quand l'été est particulièrement sec.

Le saviez-vous?

En préparant une pommade avec la poudre extraite de la racine d'Aunée additionnée de saindoux, on obtient un excellent remède contre la gale des animaux.

AVOINE
Avena sativa
famille des Graminées (ou Graminacées)

Disons tout de suite que c'est, même si cela paraît évident: une plante herbacée, analogue au blé, avec des fleurs pendantes réunies en épis ou caryopses.

La culture de l'Avoine se perd dans la nuit des temps: en général on la fait remonter aux Chinois, aux Egyptiens et aux Indiens. Les Grecs, à ce qu'il paraît, l'utilisaient déjà à usage médical. En Italie, cette graminée semble avoir été importée par les légionnaires de Jules César: pendant leur occupation de la Gaule et de l'Allemagne, les soldats avaient remarqué que ces barbares faisaient largement usage de l'Avoine aussi bien sous forme de pain que sous forme de semoule. Tacite en effet confirme la nouvelle en y ajoutant un détail significatif: parmi ces populations, nombreux étaient les individus qui mouraient à un âge très avancé après avoir joui d'une santé solide toute leur vie.

En voici la raison: l'avoine est riche en sels minéraux parmi lesquels se distinguent le fer, le calcium, le magnésium et une certaine quantité de phosphates. Ses propriétés nutritives et énergétiques sont donc remarquables.

BALSAMINE
Impatiens balsamina
famille des Balsaminacées

Ce n'est pas une plante très commune, mais nous la citons car nous avons par ailleurs parlé de ses propriétés vulnéraires.

On la cultive habituellement dans les jardins.

Il y a aussi la Balsamine des bois ou Impatiente, de son nom latin *Impatiens noli tangere*, qui veut dire «impatients, ne touchez pas»; en cela elle a raison, car elle est toxique à fortes doses, mais à petites doses elle

est diurétique et émétique. Cette plante annuelle
d'environ 1 m de haut, à tiges dressées et ramifiées
dans leur moitié supérieure, possède des feuilles alternes allongées ovoïdes. Les fleurs bien visibles ont une
forme caractéristique en calice. La corolle jaune est
ponctuée de rouge à la gorge. Répandue dans toute
l'Europe moyenne et méridionale, au Proche-Orient,
on la trouve jusqu'en Sibérie, au Kamchatka, en Chine
et au Japon. Floraison: juillet-août.

BARDANE
Arctium lappa
famille des Composées

La Bardane aime les terres incultes, les éboulis, les
bords des routes et des sentiers, des fossés et des
champs. Elle se reconnaît assez facilement: elle atteint
la taille d'un homme, a des feuilles de base très grandes avec de petits capitules presque sphériques garnis
de pointes recourbées en crochets, qui s'incrustent
dans les vêtements et surtout au poil des animaux;
victimes préférées: les chiens. Quand un de ces picots
recourbés pénètre dans l'oreille d'un animal, cela lui
fait mal et il faut s'en occuper immédiatement.

La Bardane dispense ses vertus en médecine et en
cuisine. On peut la cueillir en toute saison, après trois
ans de vie, parce qu'avant la plante est très fibreuse et
peu riche en principes actifs. On en utilise plus particulièrement la racine et les feuilles. On arrache les
premières pour les conserver ensuite. Saison idéale
pour la récolte: le printemps.

Pour cultiver la Bardane: on sème ses graines de préférence en septembre, dans un terrain bien bêché, retourné et fumé, en les enfonçant à 4 cm de profondeur.

BASILIC
Ocymum basilicum
famille des Labiacées

La cueillette de cette plante herbacée était accompagnée jadis d'un rituel tout particulier, avant tout l'herboriste devait se purifier la main droite, considérée comme profanatrice, en l'aspergeant, avec un rameau de chêne, de l'eau de trois sources différentes. Il devait ensuite se vêtir de vêtements propres et se tenir éloigné des êtres impurs et en particulier des femmes en période menstruelle.

Cette plante est assez connue, notamment des ménagères; quoi qu'il en soit, nous en donnons ici une rapide description: feuilles lancéolées, de couleur verte, très aromatiques, fleurs blanches ou rosées dont la corolle est très caractéristique. Le Basilic se présente en touffes de taille moyenne de 20 à 40 cm de haut. Il n'a pas de problème de croissance: il pousse avec une relative facilité (dans les climats méditerranéens), même dans un pot. Pour le sécher il faut en cultiver une quantité assez importante. On recueille les sommités fleuries et les feuilles en juillet-août.

Quant au semis, période conseillée: de mars à avril. Pas de soins particuliers: seulement une bonne terre légère et surtout une bonne exposition. Dans un jardin on le plante en rangées distantes d'une cinquantaine de centimètres en espaçant les plants de trente centimètres.

Le saviez-vous?

Saviez-vous que le Basilic, dans un pot sur votre fenêtre, a la propriété d'éloigner les moustiques?

Saviez-vous que c'est un excellent ingrédient pour aromatiser l'eau du bain?

Connaissiez-vous les propriétés miraculeuses de cette plante et saviez-vous que depuis l'Antiquité Pline le recommandait aux épileptiques?

Et enfin, saviez-vous... ce sont les spécialistes en astrologie qui le disent: le Basilic serait soumis à l'influence de Mars, ce qui explique qu'il s'en dégage un influx dynamique mais que, à l'extrême, il prédispose à la colère. Ces mêmes astrologues disent encore que le Basilic peut être cause de phénomène physiques déplaisants, liés au système vago-sympathique.

BELLADONE
Atropa belladonna
famille des Solanacées

La famille des Solanacées est une grande famille, heureuse, inquiète, hétérogène, expansionniste: elle comprend des herbes comestibles, médicinales, toxiques, sournoises et rampantes: en somme, de toutes les races. La Belladone en fait partie.

C'est une plante à tenir en «liberté surveillée». Pourquoi? Parce qu'elle peut accroître la beauté et donner la mort avec la même douceur. Et, tout d'abord, le nom de Belladone dérive probablement de l'usage qu'en faisaient les femmes *(donne)** à l'époque de la Renaissance dans le but de se dilater les pupilles et de rendre ainsi leur regard plus brillant. Et même, en remontant plus encore dans le temps, nous trouvons que cette plante était tout aussi recherchée par les femmes égyptiennes qui en extrayaient un collyre toujours pour embellir leur regard.

Avant d'en dire tout le mal possible, essayons d'en dire un peu de bien. Et tout d'abord, comment est-elle faite? Son aspect est insignifiant: la Belladone n'a rien de remarquable et passe inaperçue. Hauteur: un mètre cinquante; racine: grosse et charnue, longue de 10 à 20 cm; feuilles: grandes et ovales; fleurs: hautaines et solitaires de couleur violacée. La Belladone est une plante qui sent très mauvais: elle exhale en effet une odeur désagréable, nauséabonde. La cueillette de ses feuilles peut se faire trois fois par an et doit être suivie d'un séchage dans des locaux bien aérés. Ses racines, récoltées en octobre, doivent être nettoyées, coupées et mises à sécher.

Nous n'avons pas dit encore le peu de bien que nous nous étions proposés d'en dire: la Belladone, Mesdames, Messieurs, guérit bien des choses: les spasmes intestinaux, les catarrhes bronchiques, l'asthme, les toux persistantes, la coqueluche, la brachycardie, etc. La Belladone contient une substance appelée

* en italien.

atropine, aux multiples applications thérapeutiques.
Elle est, entre autres, utilisée pour l'un des traitements
de la maladie de Parkinson appelé d'ailleurs «cure bul-
gare» et qui consiste à administrer des décoctions
obtenues des racines d'une variété particulière de Belladone poussant en Bulgarie.

Cependant, attention: l'usage de la Belladone, et
donc de l'atropine, peut provoquer des empoisonnements en cas d'erreur de dosage — voilà que nous
recommençons à en dire du mal! Symptômes: bouche
et gorge sèches, enrouement, troubles visuels, tachy-
cardie, symptômes se répercutant sur le système nerveux, consistant en maux de tête, vertiges, impa-
tience, hallucinations, délire. La recommandation à
faire nous semble évidente: la Belladone ne doit être
utilisée que sous surveillance médicale directe.

Le saviez-vous?

Il vous faut savoir que la Belladone est citée dans le
roman de Lucien Apulée (IIe s. après J.-C.) intitulé
Les Métamorphoses: nous savons que, grâce à une
pommade à base de Belladone, Pamphile se serait
transformée en oiseau et se serait envolée dans
la nuit.

La Belladone, dite au Moyen Âge «Herbe des Sorcières», avait alors mauvaise réputation. Le philosophe Girolamo Cardano dit qu'à cette époque on faisait
grand cas de la Belladone comme drogue psychothé-
rapique. Parmi les ingrédients qui composaient cette
drogue, outre la Belladone, nous savons qu'il y avait

des bourgeons de peuplier séchés, des feuilles de pavot, de jusquiame. Cet onguent, frotté sur les chevilles, au cou, sur les bras, calmait entre autres les douleurs et rendait le sommeil assez agréable: à ce qu'il paraît.

Enfin, nous trouvons la Belladone dans un philtre dont se servaient, dit-on, les sorcières pour se rendre au Sabbat. Rien à voir avec une pommade qu'on se mettait sur le corps, cette fois; mais une lotion mystérieuse. Un auteur nous en a laissé la composition: Belladone, naturellement, et jusquiame, ciguë commune, chanvre indien, opium.

Nous avons évoqué les réunions du Sabbat: assemblée de sorcières et de démons qui se réunissaient de nuit pour se livrer à des orgies et des rapprochements contre nature. Ce sujet a fait couler des fleuves d'encre. Il faut dire que les ténébreuses réunions du Sabbat n'étaient pas réservées aux pauvres pâtres dans les campagnes et aux misérables sorciers et sorcières de village. Pierre de Lancre, un magistrat du XVIIIᵉ siècle qui connut, par les aveux des sorcières condamnées, tous les détails de ces mystérieuses assemblées, affirme en effet que les réunions étaient fréquentées par des gens riches et puissants, des dames de la noblesse et des gentilshommes de la haute société. Nous savons ainsi qu'un certain nombre d'entre eux s'estimaient particulièrement honorés d'être admis à tirer la queue du diable dans les incroyables et grotesques processions célébrées en semblables occasions. Nombreux étaient les exaltés qui cherchaient désespérément une personne disposée à les initier aux mystérieux préparatifs indispensables pour se rendre au

Sabbat. La coutume donnait couramment comme moyen indispensable pour accomplir le stupéfiant voyage dans les airs, vers le lieu de la réunion, le fameux «onguent des sorcières»; ledit onguent étant parfois donné personnellement par le démon à ses disciples. C'est justement l'onguent dont nous parlions et qui jouait cependant de mauvaises farces à qui l'utilisait sans y être autorisé... par le diable. On raconte qu'une nuit de 1611, un charbonnier de Paris, pendant qu'il feignait de dormir, vit sa femme s'enduire d'une graisse mystérieuse et disparaître. Intrigué, il décida de suivre sa femme pour goûter, lui aussi, aux délices tant vantées des jeux défendus. Il se saisit de la boîte abandonnée sur la table, s'en enduisit soigneusement et le voilà qui se sentit transporté à l'entrée d'un souterrain, sous les murs d'un vieux château. Dans le flot de gens qui y pénétraient, notre charbonnier arriva à une grande salle resplendissante de lumière, tous les assistants étaient élégamment vêtus et parmi eux il reconnut sa femme. La dame s'étant aperçue de sa présence fit un certain geste, l'assemblée se dispersa et le pauvre charbonnier se retrouva seul... Le lendemain, les serviteurs du château le découvrirent et, le prenant pour un malfaiteur, lui donnèrent une bonne bastonnade.

La réalité est moins ténébreuse, plus prosaïque, plus terne. Dans le fameux onguent, il y avait comme nous l'avons dit, mélangés ensemble Belladone, opium, etc...: pour ces malheureux et malheureuses, le Sabbat n'était qu'un triste cauchemar. Quant aux orgies avec le diable, la réalité est, là aussi, beaucoup plus simple: l'onguent était, au fond, composé de stupéfiants et d'aphrodisiaques. Le diable prenait possession des imaginations, menant le pauvre drogué à l'explosion érotique presque toujours solitaire.

BÉTOINE
Betonica officinalis (ou *stachys*)
famille des Labiacées

On trouve cette plante à peu près partout : dans les landes, les prés maigres, les bois clairs, le long des routes, dans les terrains siliceux, au voisinage des habitations ; sa tendance a toujours été celle d'envahir, de fourrer son nez dans les lieux habités. Puis, un beau jour, est arrivé le béton armé et la Bétoine a dû se réfugier dans la périphérie des villes.

La Bétoine pousse de juin à septembre, elle peut atteindre une hauteur de 60 cm. Elle a une tige carrée qui finit par un épi fourni de fleurs roses et pourpres. Sous l'épi se trouvent deux feuilles l'une en face de l'autre et dentelées.

Le saviez-vous ?

On a toujours attribué à la Bétoine des pouvoirs magiques, on affirmait entre autres que les serpents ne pouvaient franchir un cercle fait de ses tiges.

Saviez-vous que pendant les grandes chaleurs, l'odeur de la Bétoine agit sur les personnes nerveuses ?

Saviez-vous que les fleurs séchées, placées dans le chapeau, protègent des maux de tête ?

BENOÎTE DES VILLES
Geum urbanum
famille des Rosacées

Connue aussi sous le nom d'«Ombrage des bois», la Benoîte est une proche parente de la fraise et des ronces. Elle possède des fleurs jaunes à cinq pétales arrondis. Les styles, qui grossissent après la floraison, font de ces fleurs, à la maturité, de petites têtes hirsutes et sphériques. De la Benoîte on utilise surtout la racine, grosse d'un ou deux centimètres qui, écrasée entre les doigts, dégage une forte odeur de girofle. Époque de la cueillette: juin ou juillet, disent certains; au printemps, vous diront d'autres. Le séchage, cela est certain, doit se faire à l'ombre.

Le saviez-vous?

La Benoîte, si l'on s'en tient à ce que disent certains botanistes, exercerait un effet bénéfique sur l'allaitement... des ruminants.

BOUILLON-BLANC
Verbascum thapsus
famille des Scrofulariacées

Le Bouillon-blanc pousse dans les lieux incultes, secs, pierreux; sa tige est simple, dressée, et peut atteindre un mètre; les fleurs sont généralement de couleur jaune à calice tubulaire et corolle. Elles adhèrent à la tige qui, à sa partie inférieure, est gainée par de grandes feuilles velues.

Récolte: on cueille les corolles en les détachant délicatement pour éviter de les froisser. Cette opération doit être faite dès que les fleurs sont écloses, c'est-à-dire à partir de juillet. Séchage: il doit avoir lieu dans un endroit chaud, sec et bien aéré; les corolles devront être étendues en une mince couche sur une toile. Conservation: elles devront rester dans des boîtes hermétiquement closes, si possible en bois, à l'abri de la lumière et de l'air. Pourquoi tant de soins? Simplement parce que le Bouillon-Blanc est pectoral, adoucissant, émollient. Catarrheux, le Bouillon-Blanc est pour vous. Asthmatiques, cherchez-le! Vous qui souffrez d'inflammations des voies digestives et urinaires: Bouillon-blanc!

BOULEAU ARGENTÉ
Betula alba
famille des Bétulacées

Nous le savons bien, ce n'est pas une plante herbacée: nous sommes bel et bien en face d'un vrai arbre. Nous le citons à propos de certaines propriétés thérapeutiques (voir le tome I).

Le Bouleau, appelé aussi «boulard», est un arbre aux branches légères, quelquefois pendantes, à l'écorce blanche, aux feuilles pointues et losangées. Il pousse dans les bois tout spécialement dans les terres boréales.

Ce qui nous intéresse c'est son écorce. Elle contient

en effet du tanin, une substance appelée bétulline et de la résine. Tout le monde ne sait pas que ce bois, une fois sec, devient très élastique. La sève fermentée, donne une espèce de vin mousseux.

Le Bouleau fleurit en avril et mai; on peut utiliser également les feuilles qui, séchées au soleil, ont des propriétés diurétiques, antiarthritiques, antigoutte.

BOURDAINE
Rhamnus frangula
famille des Rhamnacées

La Bourdaine, aime les étangs, les bois, les landes, elle aime l'humidité, le brouillard: voilà pourquoi cet arbuste qui peut atteindre 3 mètres est typique des régions du Nord de l'Europe... dont il apprécie tout, sauf le «smog».

Donnons-en quelques caractéristiques: feuilles alternes, ovales, pointues (qui font penser un peu aux fenêtres des églises gothiques); les fleurs sont d'un blanc verdâtre; le fruit est une petite baie noire et luisante à maturité.

Dans la pharmacopée, on se sert de préférence de l'écorce des branches, après l'avoir détachée de la plante en mai et juin et l'avoir laissée sécher à l'air: elle contient la franguline, purgatif doux, à l'action certaine.

BOURRACHE
Borrago officinalis
famille des Borraginacées

La très velue Bourrache, riche de grandes fleurs pendantes de couleur bleu ciel, est une plante annuelle, à tige cylindrique, dont la hauteur varie de 20 à 40 centimètres. La Bourrache ou Borrage fleurit de mai à juillet, décorant les jardins et les prés. Si elle préfère naturellement égayer les murs en ruine et les décombres, comme elle est comestible on la trouve aussi dans les jardins. Ses feuilles, en effet, se mangent en salade: excellentes, on les ajoute aux épinards ou à d'autres salades. La pharmacologie utilise cette plante, autant les feuilles que les fleurs, car elles contiennent en abondance du nitrate de potassium, sudorifique et diurétique efficace. Les feuilles se récoltent pendant la période de la floraison, c'est-à-dire de mai à septembre.

Après avoir mélangé la sève fraîche de Bourrache à 3 à 4 tasses de bouillon de veau, Joseph Roques (nous sommes en 1837) affirma: «C'est une boisson excellente quand les reins et la vésicule biliaire sont irrités et agités de douleurs spasmodiques, et que les urines sortent avec difficulté».

D'après Nicolas Alexandre (nous sommes cette fois-ci en 1716) la Bourrache «égaie les esprits vivants et les animaux infectés par la bile noire»...

BOURSE-À-PASTEUR
Capsella bursa pastoris
famille des Crucifères (ou Cruciféracées)

On la trouve partout: dans les terrains incultes et dans les terres cultivées; dans les endroits ensoleillés, comme à l'ombre, le long des routes mais aussi dans les jardins. Et justement parce qu'elle se trouve partout, personne ne la remarque. Personne donc ne s'arrête pour regarder ses gracieuses petites fleurs blanches disposées en grappes, ses fruits, qui sont de minuscules capsules en forme de cœur contenant quantité de graines rougeâtres. Et cependant cette petite plante pousse non seulement en Italie et dans toute l'Europe, mais dans le monde entier car elle s'adapte à tous les climats et à tous les sols. Cette plante «cosmopolite» possède d'indiscutables propriétés hémostatiques. En effet, elle est utilisée en médecine dans le cas où le sang ne coagule pas, dans les cas d'épistaxis, de dysménorrhée, quand les règles sont irrégulières et douloureuses et, ne l'oublions pas, dans les métrorragies, quand se manifestent des hémorragies utérines indépendamment du cycle menstruel. Nous pouvons en outre faire l'éloge de cette plante pour l'absence de toute contre-indication.

Cette herbe, appelée aussi «bourse à berger» ou «bourse de capucin», peut se récolter entière (sauf la racine) et on la fait sécher ensuite. On peut aussi la consommer fraîche en infusion.

BRUYÈRE
Calluna vulgaris
famille des Éricacées

La Bruyère se trouve d'habitude dans les zones marécageuses, dans les landes et au bord de la mer. Ses fleurs sont réunies en petites grappes au sommet des rameaux, tandis que ses feuilles sont disposées sur quatre rangs. Elle peut atteindre facilement un mètre de haut. Période de floraison: de juillet à septembre. Les grappes fleuries se récoltent au début de leur efflorescence.

La Bruyère peut vivre jusqu'à quarante ans.

De nombreuses espèces de bruyères sont utilisées à la fabrication des balais et des pipes.

La décoction de la plante sert en outre à teindre les étoffes en brun, jaune avec adjonction d'alun, et noir avec adjonction de sulfate de fer.

BRYONE ou BRYONA
Bryonia dioica
famille des Cucurbitacées

La brionine que contient la Bryone est un excellent purgatif et un bon poison, la phytothérapie conseille donc la plus grande prudence à son sujet.

La Bryone, plante vivace, possède des fleurs dioïques, leur pied soutient les fleurs mâles à étamines et les fleurs femelles par un style subdivisé en trois parties. Les fleurs de la Bryone sont de couleur jaune verdâtre et ont cinq pétales unis entre eux. Les fruits sont des baies qui, lorsqu'elles mûrissent, acquièrent une belle couleur rouge. La racine est fusiforme, grosse, charnue, amère. La tige de cette fille des cucurbitacées peut atteindre 3 à 4 m de haut.

On a affublé cette plante, décidément vindicative, de bien d'autres noms: «crache-venin», «courge marine», «courge blanche», «navet du diable» et «courge sauvage». Le botaniste et médecin THORE disait de la Bryone en 1803: «C'est une médecine féroce». Les enfants doivent donc ne pas s'approcher de ses fruits.

De vieux savants comme Bartholin (XVIIe siècle) soutiennent que des animaux, comme les lézards, les grenouilles, les crapauds, ont été vomis par des imprudents qui avaient absorbé quelques cuillerées d'infusion de Bryone ou d'iris. Devons-nous le croire? Donc... si vous avez quelque chose sur l'estomac... Bryone!

La racine de Bryone prend quelquefois des formes humaines, et c'est pour cela que jadis les mages l'utilisaient pour fabriquer une petite amulette dont la possession rendait riche et portait bonheur.

CAMOMILLES
famille des Composées

Nous avons bien écrit Camomilles au pluriel, parce qu'il en existe plusieurs espèces toutes néanmoins de la grande famille des Composées.

Nous nous limiterons aux deux espèces principales: la Camomille commune, de son nom latin: *Matricaria chamomilla*, appelée aussi «Camomille sauvage» ou «petite camomille» ou «camomille allemande» et la «Camomille romaine», de son nom latin *Anthemis nobilis* ou «camomille officinale».

La Camomille donc est une plante à la jambe fine, délicate, avec ramifications latérales: elle est connue par son odeur caractéristique. Elle pousse spontanément dans les endroits herbeux et incultes; mais elle est aussi cultivée dans les terrains frais et bien retournés. Elle a de petites feuilles, très découpées, d'un vert grisâtre; les fleurs ont la forme de capitules avec un disque central jaune et des languettes blanches: vous la reconnaîtrez sûrement. Inutile de rappeler les propriétés de cette plante herbacée: propriétés qui étaient connues déjà au temps des Grecs et des Romains.

La Camomille romaine appelée ainsi car elle est cultivée en particulier dans la province de Rome est aussi appelée, voyez un peu! Camomille anglaise.

En France, elle fait la gloire de Chemillé dans le Maine-et-Loire qui produit toute la camomille nécessaire au pays, soit 70 tonnes par an, d'une variété double, la plus recherchée.

La Camomille romaine, ou anglaise, se présente sans aucun doute d'une manière plus aristocratique: en réalité elle est moins active, plus belle, mais moins bonne.

CANNELLE
Cinnamomum zeylanicum
famille des Lauracées

La Cannelle est une drogue qui s'extrait de l'écorce d'un arbuste originaire de Chine et de Ceylan (la meilleure) et en général des tropiques: c'est exactement le *Cinnamomum zeylanicum*, utilisé surtout dans l'industrie des parfums.

Il en existe toutefois d'autres variétés: par exemple la «Cannelle de Ceylan» ou «Cannelle de la Reine».

La Cannelle qu'on trouve dans le commerce se présente en petits rouleaux d'un centimètre de diamètre et 7 à 8 cm de longueur; fragiles, légers, ils ont une odeur agréable et une saveur aromatique.

La Cannelle est utilisée en condiment ou à la préparation de liqueurs. En pharmacologie, ses propriétés sont digestives et antigrippales.

CAPILLAIRE
(voir à: FOUGÈRES)

CARDON COMMUN
(voir aussi à: CHARDON)
Cynara cardunculus
famille des Composées

Plante potagère bisannuelle, du même genre que l'artichaut mais très volumineuse, et dont on accommode les pétioles des feuilles, épais et charnus (côtes), de différentes manières (à la moelle, au jus, à la béchamel, etc.); on sème au printemps, sur couche, la graine de cardon.

Le cardon atteint facilement 2 mètres à 2,50 m de haut, et les feuilles ont généralement plus d'un mètre. La partie comestible de la plante consiste dans la côte ou nervure médiane de la feuille, nervure épaisse et charnue dont on provoque l'étiolement et le blanchiment en garnissant les pieds de paille et en les liant.

CAROTTES
Daucus sativus
Daucus carota
famille des Ombellifères

Nous avons bien dit «carottes» car il y a celles qu'on cultive, en latin *Daucus sativa* et les carottes sauvages, *Daucus carota*, toutes deux de la famille des Ombellifères.

Nous savons tous qu'elle pousse dans les prés et le long des routes (nous parlons bien sûr de la carotte sauvage), qu'elle fleurit du printemps à l'automne et qu'elle a une racine comestible rouge, jaune ou blanche.

Le saviez-vous?

Saviez-vous que les semences de carotte cultivée sont moins actives que celles de la carotte sauvage?

Cultivateurs, si vos bœufs ou vos chevaux toussent, soignez-les ainsi: mélangez au fourrage quelques carottes coupées en petits morceaux.

CAROUBIER
Ceratonia siliqua
famille des Césalpinacées

Le Caroubier aime le soleil, c'est pour cela que nous le trouvons dans les régions chaudes de la Méditerranée et tout particulièrement en Sicile.

Nous le reconnaissons parce que c'est un arbre au

feuillage persistant de moyenne et parfois grande dimension. Son tronc est souvent recouvert d'une écorce rugueuse gris-brun, avec un feuillage fourni et des branches noueuses. Ses fleurs sont odorantes et de couleur pourpre; ses fruits sont noirâtres.

Ce sont l'écorce et les caroubes (ou carouges) appelés parfois «pain de Saint-Jean» qui nous intéressent chez le Caroubier. L'écorce se récolte en février-mars, on peut en faire une décoction aux pouvoirs anti-diarrhéiques; quant aux caroubes, qui en sont les fruits, ils sont un aliment apprécié des chevaux.

CARVI (ou: CUMIN)
Carum carvi
famille des Ombellifères

Tige striée, haute de 30 à 60 cm, ramifiée. Racine ressemblant tout particulièrement à celle de la carotte sauvage; feuilles portant à leur point d'attache sur la tige deux folioles dentelées; fleurs petites et blanches: voilà le Carvi, appelé aussi «cumin des prés» ou «cumin allemand», plante herbacée qui pousse en Italie du Nord et dans les régions méridionales de l'Europe.

Le Carvi a des propriétés thérapeutiques et occupe une place irremplaçable dans la cuisine, en particulier dans les pays de l'Europe centrale.

Irremplaçable aussi son emploi vétérinaire et agricole. La plante sèche est assez appréciée des vaches et des brebis dont elle facilite la digestion, combat les fermentations et favorise la sécrétion lactée. Les graines sont en outre indiquées pour réactiver l'appétit des chevaux. Seules ou mélangées aux graines d'anis, d'aneth et de fenouil, elles combattent le météorisme des ruminants: on l'administre en infusion dans du vin blanc.

Le saviez-vous?

Saviez-vous que les graines de Carvi, comme du reste celles d'anis, sont vénéneuses pour les oiseaux, sauf pour les pigeons qui les apprécient?

Saviez-vous que pour attacher les pigeons... à leur pigeonnier, on conseille d'en mélanger aux autres graines qu'on leur donne?

CÉDRATIER ou CÉDRAT
Citrus
famille des Rutacées

Le Cédratier est une plante arborescente, aux grandes feuilles, aux fleurs blanches. On peut dire qu'il ressemble en tout au citronnier, mais en plus grand (fruit: «cédrat»).

Il est riche en huile essentielle, sa chair est rare, mais son écorce est très parfumée, au point qu'elle est exploitée par les industries pour la production de parfums et de liqueurs. Et ce n'est pas tout; l'écorce de cédrat est utilisée aussi en pâtisserie en Italie dans la confection des «panettoni» (spécialité de Milan), des colombes de Pâques et diverses autres gourmandises.

Gentiana.

La gentiane a une longue enfance, une jeunesse lente, une maturité difficile, au total donc une vie plutôt pénible.

La pulpe (c'est-à-dire la partie blanc jaunâtre qui se trouve sous la peau) se mange pour combattre les colites.

Le Cédratier, originaire d'Extrême-Orient, est cultivé dans tous les pays à climat chaud. En Italie on le trouve sur la Riviera Ligure, sur le lac de Garde et dans le Sud du pays; également en Corse où l'on en fait une liqueur, la «cédratine».

Le saviez-vous?

Saviez-vous que le Cédratier, étant soumis à l'influence astrale de Jupiter, était considéré par les Anciens comme gardien de la demeure auprès de laquelle il se trouvait?

Saviez-vous que les Anciens étaient par ailleurs convaincus que ses feuilles faisaient naître l'orgueil et la violence?

CÉLERI
Apium graveolens
famille des Ombellifères

Qui ne le connaît pas? Qui ne connaît ses côtes charnues, sa tige lisse et cannelée, son odeur inimitable et ses feuilles de couleur vert jaunâtre? C'est le condiment qui dans l'art culinaire joue un rôle important. On utilise toutes ses parties, surtout la racine que l'on conserve plusieurs années. On la récolte la deuxième année et aux périodes où la plante ne fleurit pas: c'est le secret de la collecte de tous les principes actifs du Céleri. Les différentes parties séchées du Céleri, perdent certes un peu de leur arôme mais pas leurs propriétés.

Le suc extrait des feuilles et des tiges du Céleri est utilisé dans les pâtisseries, dans les liqueurs et comme colorant vert inoffensif.

Le saviez-vous?

Les Romains avaient coutume, pendant les banquets, d'unir la plante fraîche ou les racines séchées du Céleri au myrte.

PETITE CENTAURÉE
Erythraea centaurium
famille des Gentianacées

Vous la remarquerez tout de suite pour ses fleurs roses à cinq pétales en étoile, disposées comme les bras d'un chandelier. Où la trouve-t-on? Dans les prairies ensoleillées, dans les clairières des bois en montagne, mais elle pousse aussi dans les coins herbeux et humides proches de la mer.

Centaurée, pourquoi? Parce qu'on dit qu'elle a été découverte, du moins c'est la légende qui l'affirme, par le centaure Chiron qui l'aurait employée pour soigner une blessure. Nos pères l'avaient plus simplement appelée «herbe à fièvre» pour ses propriétés fébrifuges (en bas latin: *febrifugium*).

Le saviez-vous?

On l'avait appelée non seulement «herbe à fièvre», mais aussi «fiel de terre» ce qui indique qu'il s'agit d'une plante amère.

Autre détail: la décoction de petite Centaurée teint la laine en jaune verdâtre.

A ne pas confondre avec la grande Centaurée (*Centaurea centaurium*) aux fleurs rouges appelée aussi Centaurée officinale, plante très différente qui est d'ailleurs d'une tout autre famille: les Synanthéracées.

CERFEUILS
famille des Ombelliféracées

Il y a le Cerfeuil commun, l'*Anthriscus cerefolium* et aussi le Cerfeuil musqué *Myrrhis odorata* ou Cerfeuil d'Espagne, tous deux de la famille des Ombellifères.

Parlons du premier: on le reconnaît facilement à ses feuilles triangulaires très dentelées; quand on les froisse, elles dégagent un certain parfum que toutes les ménagères savent utiliser.

Le Cerfeuil est originaire d'Asie occidentale et de l'Europe du sud-est: c'est une plante annuelle qui peut atteindre 70 cm de haut. Les fleurs, qui s'épanouissent de mai à août, sont petites et blanches; les fruits, étroits, noirâtres et fusiformes. Semer le Cerfeuil est facile: il suffit de mettre quelques semences dans une terre retournée; curieusement, le fumier frais l'abîme.

Quant au Cerfeuil musqué, c'est une plante vivace qui atteint un mètre et plus. Sa tige est creuse, droite, striée et ramifiée: on le reconnaît à son parfum d'anis. Le Cerfeuil musqué pousse en grosses touffes et fleurit de juin à août; il a un demi-frère nommé «Cerfeuil bâtard» ou Cerfeuil sauvage (*Chaerophillum temulum*) qui est une plante très toxique.

Le saviez-vous?

Saviez-vous que les Romains donnaient du Cerfeuil commun aux gladiateurs avant le combat?

Saviez-vous que dans les restaurants, ce même Cerfeuil vous est servi en bouquets entiers pour décorer les plats, ce pourquoi personne n'y touche? Erreur, haché menu il est excellent!

CHANVRE
famille des Cannabinées

Ici il faut faire des distinctions.

Il y a le Chanvre d'eau (*Eupatoria cannabis*): c'est une des plantes que nous pourrions appeler «rhabdomanciennes» (ou «sourcières»), en ce sens qu'elles recherchent toujours un terrain frais et humide. Ses fleurs sont purpurines. On s'en sert dans les affections de la rate et de la bile. Elle est recherchée aussi par les vétérinaires, une friction sur vos animaux avec la plante fraîche les débarrasse des insectes.

Le Chanvre d'eau a des feuilles palmées et rêches,

de sa tige on tire une fibre textile, utilisée pour fabriquer des sacs, des toiles et des vêtements.

Il y a ensuite le chanvre indien *(cannabis indica)*. Halte! Nous sommes en face d'une variété de Chanvre dangereuse, cultivée en Inde. Ses inflorescences contiennent une résine de cannabine ou hachischine dont le principe actif est le cannabène doté de propriétés analgésiques, antispasmodiques... et hypnotiques. Nous avons bien dit hachischine, de là le nom de hachisch, mot arabe qui signifie «herbe». Préparé à base de Chanvre indien, le hachisch est utilisé en Turquie, en Égypte, en Tunisie et en Algérie (le «kif») où on le fume et on le chique comme du tabac, seul ou mélangé à ce dernier.

Au Mexique, la même drogue prend le nom de «marihuana» et son usage s'est répandu en Amérique du Nord, pour ne pas dire dans toute l'Europe, voire dans le monde entier.

Du mot hachisch vient le mot «assassin». C'est la légende du «Vieux de la Montagne» qui explique cette origine. Ce «Vieux» était le chef d'une secte musulmane, appartenant à l'hérésie ismaélienne, et ces musulmans, confondant les enseignements du Coran avec les croyances indiennes dans la transmigration des âmes, vivaient dans un état permanent d'excitation fanatique qui ne les faisait reculer devant aucun crime. Ils étaient réunis et dirigés dans un château sur le mont Alamunt et en d'autres lieux en Syrie, en Mésopotamie, en Iran. Tous obéissaient aveuglément à leur chef, que les chroniqueurs chrétiens appelaient justement «le Vieux de la Montagne». On raconte qu'une fois, l'empereur Frédéric de Suède lui rendit

visite dans son repaire. Pour faire une démonstration
de la fidélité de ses acolytes, le «Vieux» fit signe à un
groupe de se jeter la tête la première du haut des rem-
parts. L'ordre fut immédiatement et scrupuleusement
exécuté. Comment «le Vieux» faisait-il pour obtenir
une obéissance aussi fanatique?

Quand il voulait se servir de certains de ses adeptes, il leur faisait absorber une substance enivrante, le
«hachisch»; après trois jours de sommeil, il les intro-
duisait dans son jardin magique et là les ramenait à la
vie. Après un court séjour, ceux qu'il avait sélection-
nés étaient à nouveau endormis et ensorcelés au
hachisch. Réveillés une fois encore, ces malheureux
étaient prêts à commettre n'importe quelle action. Ainsi
quand «le Vieux» voulait se débarrasser d'un ennemi,
il n'avait qu'à lancer ses fidèles contre lui. C'est donc
du nom de la drogue que vient le mot «assassin».

Nous imaginons que le lecteur veut savoir quel
genre d'ivresse et d'excitation provoque cette drogue.
Le drogué atteint un stade de sensibilité indéfinie et
une condition psychique «neutre» qui peut exploser
en «joies plus tumultueuses et orgiaques, ou descen-
dre jusqu'aux profondes et solitaires voluptés de plaisirs absurdes». Il y a toute une littérature sur cette
question! Nous dirons seulement: «qui vit de hachisch,
de hachisch certainement mourra».

Hérodote raconte que les anciens Scythes faisaient
un usage effréné du Chanvre indien; ils respiraient la
vapeur des grains grillés et en tiraient une ivresse et
des plaisirs à «crier de joie à s'en rompre le cou».

CHARDON
Cynara cardunculus
famille des Composées

Sous le nom de Chardon, on désigne diverses plantes à feuilles et bractées qui appartiennent à des espèces diverses, que l'on confond presque toujours les unes avec les autres. (Pour la compréhension du lecteur, nous dirons que la bractée est une sorte de petite feuille différente des autres par sa forme et parfois par sa couleur, située sous l'aisselle des pédoncules, ou au voisinage des fleurs.)

Nous nous excusons d'être un peu prolixes, mais il faut pouvoir reconnaître ces Chardons pour ne pas les confondre. Tout d'abord, il y a les Chardons appelés communément ainsi: plantes herbacées, assez épineuses, aux fleurs réunies en capitules, de la famille des Composées. Il y a ensuite le Chardon Roland (*Eryngium campestre*), de la famille des Ombellifères, appelé «Chardon bleu», improprement d'ailleurs car le vrai Chardon bleu est très différent. Description éclair: petites fleurs à capitules avec cinq étamines libres dans la corolle, celle-ci comportant cinq pétales séparés.

Il y a le «Chardon de Vénus» de la famille des Dipsacées (cardère ou chardon à foulon): fleurs au capitule à quatre étamines libres dans la corolle, celle-ci comportant quatre lobes réunis à la base.

Il y a le «Chardon bénit» (*Centaurea benedicta*), de la famille des Composées.

Il y a également le «Chardon-Marie» (*Carduus marianus*), lui aussi de la famille des Composées.

Celui qui nous intéresse, c'est le Cardon cultivé

pour ses côtes longues et tendres, d'un goût légèrement amer. Nom latin: *Cynara cardunculus*, répandu
dans toute l'Europe, et en particulier sur les rivages
méditerranéens.

En Italie, on cultive des variétés très appréciées de
ce Cardon aux épines à peine ébauchées, au port
droit, à la haute taille et aux côtes bien tendres, on se
souvient encore de celui de Chieri, un fameux, celui-
là, il y a trente ans, et qui pesait 17 kilos!

Il y a aussi le Cardon de Bologne, rustique, robuste,
à côtes fines, sans épines. Il y a le Cardon des jardins
vénitiens.

Sa culture n'est pas difficile. On sème à fin mars ou
début avril, dans un terrain bien démotté et profond,
dans des petits trous de 10 cm de profondeur distants
de 1 m les uns des autres. Au milieu, entre les rangs,
on peut cultiver d'autres légumes comme les oignons,
l'ail, les carottes, etc. Dans chaque trou, on met trois
ou quatre graines que l'on recouvre de terre légère.
Une dizaine de jours après le premier sarclage, on
éclaircit les plants en arrachant les plus faibles; toutes
les semaines, il faut désherber si l'on veut garder la
terre propre. Vers la fin de l'été, une fois le feuillage
entièrement développé, on procède au blanchiment:
on lie en botte toutes les feuilles, avec trois liens de
paille, puis on entoure le tout de paille pour empêcher
la lumière de pénétrer jusqu'à la plante: on renforce le
pied pour que la plante reste bien droite. Après 20 ou
30 jours le blanchiment est parfait et l'on peut
envoyer les Cardons à la consommation. D'ordinaire,
les Cardons pèsent de 2 à 3 kilos, sauf exceptions...
comme celle que nous avons citée plus haut.

Disons maintenant un mot des autres Chardons. Prenons le «Chardon bénit»: fleurs jaunes, commun dans les lieux cultivés, en particulier dans les régions proches de la mer, où il fleurit de mai en juillet. On récolte la plante entière avant qu'elle ne soit épanouie, de préférence début juin. Curiosité: Olivier de Serres (XVIe siècle) disait: «Sa graine, en en prenant une mesure égale au poids d'un écu, avec du vin blanc, renforce la mémoire». Autre information, celle-ci concernant ses propriétés thérapeutiques: un historien français nous assure avoir vu un homme dont la jambe était décharnée jusqu'à l'os, guérir grâce au Chardon bénit; ce «miracle» eut lieu au XVIe siècle.

Pouvons-nous ignorer le «Chardon-Marie»? Nous l'avons déjà rencontré ailleurs, ce Chardon-Marie ou encore «Chardon-Notre-Dame»: une vieille légende voyait en effet dans les taches blanches de ses feuilles le souvenir des gouttes du lait de la Vierge qui aurait récompensé la plante d'avoir caché sous ses feuilles l'Enfant Jésus pendant la Fuite en Égypte. Ceci dit en toute innocence, la volaille elle aussi, apprécie beaucoup le Chardon-Marie, riche en huile.

Dans la société composite des Chardons, rappelons également celui qu'on appelle «Épine blanche» surnommé encore «pet-d'âne».

Et le «Chardon de Vénus»? Cette plante un peu présomptueuse, de la famille des Dipsacées, appelée à tort «chardon», se reconnaît à son gros capitule ovoïde, assez épineux, et sa tige qui dépasse parfois les deux mètres. En France on l'appelle «Cabaret des Oiseaux» ou «Bain de Vénus». Bain de Vénus, c'est une façon de dire: l'eau de pluie et de la rosée était recueillie sur la pulpe de ses feuilles avant le lever du jour et celle-ci était utilisée par les femmes du peuple contre les taches de rousseur de l'épiderme. Le résultat n'allait pas toujours avec Vénus: il arrivait que dans la coupelle formée par les feuilles se trouvaient aussi des insectes: si bien que du «bain de Vénus» il ne restait qu'une flaque d'eau polluée.

CHÉLIDOINE
Chelidonium majus
famille des Papavéracées

Appelée aussi «Cendrée», «herbe aux verrues», la Chélidoine est l'une des plantes qu'on est obligé de regarder. Indiscutablement belle, elle aime pousser sur les murs, dans les décombres et les ruines des vieilles maisons. D'avril à octobre s'ouvrent ses ombelles vives et gaies de fleurs jaunes à quatre pétales, auxquels les deux sépales laissent la place; puis suivent les gousses siliques très effilées dont la longueur varie de 3 à 4 cm. Feuilles vert bleuâtre. La plante dégage une odeur fortement désagréable et quand on casse sa tige ou ses feuilles, sort un liquide visqueux jaune orangé.

D'après Olivier de Serres, ou mieux encore, d'après la croyance populaire, les hirondelles guérissent leurs petits aveugles avec cette plante. Par contre, d'après Dioscoride, cette plante apparaît avec les hirondelles et meurt quand elles s'en vont. Nous aurions tort d'être sceptiques sur la relation de la plante et des hirondelles: en effet, le mot «hirondelle» vient du mot grec «khelidôn».

Le suc jaune de la Chélidoine, rappelant celui de la bile, avait fait penser aux élèves de Paracelse, défenseurs de son principe des «signatures» ou correspondances. Permettez-nous ici une parenthèse explicative de ce principe: Paracelse était fermement convaincu que parmi les animaux et les plantes il existait un rapport étroit et que ces dernières avaient été créées à l'image et à la ressemblance de l'organe ou de la partie du corps qu'elles étaient destinées à soigner. Par exemple, la Pulmonaire, dont les feuilles à taches blanches rappellent vaguement les poumons, devait être utilisée pour soigner cet organe. L'Hypérique, dont le suc rappelle le sang devait être utilisée pour guérir les blessures.

Nous disions donc que le suc jaune de la Chélidoine, puisqu'il rappelait celui de la bile, avait fait penser aux élèves du grand Paracelse que cette plante était surtout indiquée contre les affections du foie. Le fait le plus curieux est le suivant: de récentes recherches de laboratoire ont confirmé ces suppositions!

Le saviez-vous?

Peut-être saviez-vous déjà certains détails à son sujet: néanmoins, chez les Anciens on avait coutume d'affirmer que la Chélidoine, posée sur la tête du malade le faisait pleurer s'il allait mourir, et chanter s'il allait guérir.

Saviez-vous que la Chélidoine a été définie comme «la meilleure de toutes les plantes et la plus cruelle de toutes»? Pourquoi cruelle? Parce qu'elle est très toxique et que, notamment, les chevaux, les ânes et les oies le savent. C'est pour cela que, passant près d'elle, ils tournent la tête et s'en éloignent.

Savez-vous que les alchimistes, en raison de la couleur or de ses fleurs ont cru reconnaître en elle l'élément botanique permettant d'obtenir la pierre philosophale?

Savez-vous que, justement à cause de cette croyance, on l'avait baptisée *«coeli donum»*: don du Ciel?

Savez-vous que les Anciens croyaient que ce «don du Ciel» triomphait de la peste et rendait la vue aux aveugles?

CHÊNE
Quercus
famille des Fagacées

Il ne s'agit certainement pas d'une herbe. Le Chêne, vous le connaissez tous, cet arbre majestueux qui vit très vieux, largement répandu dans toute l'Europe, dans ses différentes variétés: Chêne commun, Chêne pédonculé, Chêne rouvre, Chêne pubescent ou Chêne blanc. Ces arbres peuvent atteindre la respectable hauteur de 15 à 20 mètres.

Ce qui nous intéresse, c'est de vous signaler les propriétés curatives contenues dans le bois, l'écorce, les feuilles, les glands du Chêne. La décoction d'écorce de Chêne est un excellent remède contre les diarrhées, les hémorragies gastro-intestinales, les empoisonnements par le tabac. Elle est en outre d'une

grande utilité pour les gargarismes dans les inflammations de la bouche et de la gorge, pour des applications contre les engelures, les hémorroïdes, la transpi-
ration des pieds.

Les feuilles se récoltent en juin, au moment où elles
sont particulièrement riches en lymphe; les glands par
contre doivent être ramassés en automne, lorsqu'ils
sont bien mûrs; l'écorce, enfin, doit être enlevée des
jeunes branches qui n'ont pas plus de trois ans.
Quand? Avant la floraison, en mai.

Le saviez-vous?

Selon les experts en magie, le Chêne est un arbre
«solaire» qui représente la force. En tant que tel, il est
bénéfique; il protège les maisons et les terres qui
dépendent de lui. Les experts ont en effet constaté,
dans divers cas, que de vieilles propriétés foncières,
liées à une illustre famille, sont tombées en ruine à
cause de graves mésententes et querelles survenues
après qu'avaient été abattus de vieux Chênes séculai-
res qui les protégeaient. Ce n'est pas formellement dit
dans le livre de la Bible qui porte son nom, mais on
peut supposer que le début de tous les ennuis qui
s'abattirent sur Job est dû à cet incident regrettable:
l'un de ses fils, ou petits-fils, avait abattu le vieux
Chêne qui poussait sur leurs terres.

Le saviez-vous?

C'est bien vrai que les Chênes attirent la foudre et la déchargent.

CHÉNOPODE ou CHENOPODIUM
Chenopodium ambrosioïdes
famille des Chénopodiacées

Les Chénopodiacées — disons-le, puisqu'il s'agit d'une famille un peu particulière — sont des plantes effacées et délaissées: la nature ne leur a pas donné beaucoup d'attraits. Et cependant cette famille compte de nombreux membres et non des moindres: qu'il suffise de penser à l'épinard, à la bette, à la betterave.

Quoi qu'il en soit, revenons à notre Chénopode, plante aux feuilles simples et alternes et aux petites fleurs, répandue dans le monde entier: il semble qu'on en compte plus de 600 espèces.

CHIENDENT
famille des Graminacées

Quand une plante a des tiges souterraines trop longues, on s'en méfie: ce qui rampe est toujours suspect. C'est le cas du Chiendent.

Il faut dire cependant que s'il est détesté du paysan, il ne l'est pas des animaux. Ces derniers, contraints de manger ce que les maîtres ou les circonstances leur imposent, souffrent en effet souvent de calculs rénaux qu'ils parviennent à éliminer dès qu'ils ont la liberté de manger du Chiendent dans la campagne. Combien de fois avez-vous vu votre chien ou votre chat aller se purger dans les champs? Regardez-les choisir soigneusement les tiges de Chiendent et les broyer entre leurs dents acérées.

Il existe deux espèces de Chiendent: le Chiendent ordinaire, ou Froment rampant (*Agropyrum repens* ou *Triticum repens*), plante à racine fragile qui émet des surgeons souterrains allongés. Cette graminée pousse un peu partout, mais elle affectionne les terrains cultivés... au grand dam du paysan. Il existe aussi le Chiendent pied-de-poule (*Cynodon dactylon*) plante à grosse racine, mais toujours rampante et très longue. Cette graminée pousse dans tous les terrains où l'on cultive la vigne, parfois elle envahit les jardins et, comme son homonyme, il est difficile de l'en extirper.

Le saviez-vous?

Saviez-vous que les rhizomes de Chiendent, hachés puis grillés, peuvent servir à fabriquer un succédané du café? On aimerait pouvoir lire sur une annonce publicitaire: «Buvez du café de Chiendent si vous voulez du bien à vos voies digestives et urinaires».

Saviez-vous que le Chiendent plaît beaucoup aux cochons?

Saviez-vous qu'un bon système pour libérer un terrain de ses rhizomes consiste à l'abandonner aux porcs?

Saviez-vous que les chevaux prennent une robe brillante après avoir bu deux à trois kilos, matin et soir, de Chiendent en décoction?

CHIENDENT ORDINAIRE
Agropyrum repens
famille des Graminacées

Pourquoi «Chiendent»? Parce qu'il a un petit bulbe recourbé et blanc, qui ressemble à une dent de carnivore. Le Chiendent est appelé aussi «blé des fourmis» ou encore «laitue de chien»: on devine aisément les raisons de ces appellations.

Comment le reconnaître? Avant tout, il faut le rechercher dans les terres cultivées: feuilles plates à nervures écartées, légèrement rugueuses vers le bas.

CHOU
Brassica olearacea
famille des Crucifères

Nous avons parlé de cette riche famille. Riche par le nombre de ses membres: radis, cresson, rave, navet, chou-rave et chou sont particulièrement riches en vitamines.

Ce légume — le Chou — a toujours été tenu en haute considération par les hommes et par les dieux: Lucien écrivait que les Grecs croyaient que le Chou était né de la sueur de Jupiter. Les médecins de l'Antiquité ne le tenaient pas moins en considération, et cela est démontré par le fait qu'ils le prescrivaient abondamment contre tous les maux et ennuis de santé. Crisippe, valeureux médecin de l'Antiquité écrivit un livre entier sur ce légume. Un poète raconte qu'enfant il vérifia personnellement les vertus théra-

Linaria.

Ornement des jardins, la linaire des Alpes se couvre de fleurs d'un bleu violet.

peutiques du Chou sur une plaie qu'il s'était faite à la suite d'une lourde chute. Mais revenons aux Grecs: le chou était en Hellade une plante sacrée. Les Romains le conseillaient avant de se mettre à table: «Mangez-en, disaient-ils, et vous pourrez retarder les effets de l'ivresse».

Nous estimons superflu de décrire les caractéristiques du légume dont nous parlons, étant donné que nous le connaissons tous assez bien. Nous ajouterons seulement qu'il en existe plusieurs variétés: le Chou rouge, le Broccoli, le Chou de Bruxelles.

CHOU–FLEUR
Brassica oleracea botrytis
famille des Crucifères

Variété de chou avec inflorescence charnue blanc jaunâtre, comestible.

Après en avoir tant dit sur le chou, que reste-t-il à ajouter sur le Chou-fleur? Ce que disait Greguerias de Ramon de La Serna: «Le Chou-fleur est un cerveau incompris de la famille des légumes.» Pour donner une note humoristique, nous dirons qu'il y a aussi l'oreille «en chou-fleur» qui, elle, ne se mange pas: dans le jargon de la lutte, une «oreille en chou-fleur» c'est l'oreille d'un lutteur qui s'est boursouflée sous les coups!

GRANDE CIGUË
Conium maculatum
famille des Ombellifères

La grande Ciguë a une prédilection pour les champs humides, les lieux ombragés, les décombres, où elle pousse spontanément. Elle est très grande (elle peut atteindre 2 mètres de haut), avec des feuilles très découpées, des tiges noueuses, des fleurs blanches. Elle fleurit en juin et juillet. Son odeur est répugnante. Attention! c'est une plante vénéneuse.

Il existe un moyen de la rendre inoffensive: la faire sécher. On utilisera ensuite les feuilles et éventuellement les graines tout à fait mûres; ces dernières se sèchent au four, si possible à l'abri de la lumière. Nous rappelons ses propriétés: antinévralgiques, sédatives, analgésiques. Rappelons aussi qu'elle est un poison: c'est en buvant la Ciguë que le philosophe Socrate se libéra de tous, amis et ennemis, après qu'on l'eut «invité» à se suicider.

PETITE CIGUË
Aethusa cynapium
famille des Ombellifères

La petite Ciguë aime la compagnie des hommes: elle naît et pousse en effet au voisinage des habitations à la campagne, elle vit clandestinement dans les jardins, prospère en liberté dans les endroits frais en plaine et en montagne.

Dieu l'a créée à la ressemblance du persil, mais ce

n'est pas du persil: donc, attention. Heureusement, l'odeur qui s'en dégage la trahit: c'est une odeur nauséabonde qui provient des fleurs blanches, disposées en ombelles de 5 à 10 rayons.

C'est la petite sœur de l'autre Ciguë et elle peut être vénéneuse comme elle. On en fait la cueillette en été.

CITRONNIER
Citrus limonum
famille des Rutacées

Nous le connaissons tous: arbuste au feuillage persistant, feuilles ovales à pétioles ailés, riches en essences, fleurs parfumées aux nombreux pétales blanc violacé; fruit charnu à endocarpe divisé en quartiers; écorce jaune pâle; pulpe acide. Patrie d'origine: l'Inde. De là, il aurait été apporté en Sicile par les Arabes au XIe siècle. On le trouve aujourd'hui dans toutes les régions tempérées de la planète.

Le Citronnier n'est pas une plante herbacée, mais nous le citons ici parce qu'il a été mentionné en phytothérapie (voir Tome I).

Le Citronnier présente un certain nombre de variétés qui se distinguent par la forme et le développement du fruit. Comme vous le savez sans doute, le Citronnier fleurit toute l'année, mais le printemps est la saison idéale. Les fruits qui sont mûrs en octobre, contiennent de 7 à 10 % d'acide citrique; avec du sucre et de l'eau, plus le suc naturellement, vous ferez une boisson pour combattre la fièvre et freiner les diarrhées.

COCA
Eritroxilon coca
famille des Érythroxylacées

Le Coca, comme on le sait, est une plante d'Amérique du Sud et plus précisément du Pérou. Nous dirons pour la curiosité du lecteur que ses fleurs blanches sont hermaphrodites, son fruit est de couleur rouge vif. Cette plante se cultive aussi aux Indes et à Java: là, on en connaît quatre variétés dont les effets aphrodisiaques sont quasiment identiques. L'arbuste du Coca est en effet catalogué par les experts dans les drogues psychotoniques. On extrait de la plante divers alcaloïdes, dont la cocaïne.

Mais retournons au Pérou. Là-bas, l'usage de cette plante est très ancien. On sait que les archéologues ont trouvé dans les tombes des objets destinés à la conservation des feuilles de Coca, utilisées à titre privé. Les feuilles de Coca, en effet, encore aujourd'hui, mastiquées avec un peu de cendre, lentement, conféreraient une résistance aux grandes fatigues, à la soif et à la faim.

Pour autant que nous le sachions, les feuilles de Coca ne sont jamais entrées, semble-t-il, dans les rites de l'antique religion des Aztèques. Il n'est pas exclu, cependant, que certaines tribus en fassent encore un usage immodéré dans leurs rites orgiaques. Il paraît que ces cérémonies ont lieu dans des clairières de la forêt et qu'il s'y déroule des sorcelleries en tous genres. A la fin d'une danse frénétique, précédée d'une espèce de séance de divination, hommes et femmes se mélangeraient en un enchevêtrement paroxystique avec les esprits de la nature. Ces rites ressembleraient aux orgies du Sabbat de triste mémoire.

Il faut absolument souligner les risques mortels qu'encourt l'utilisateur obstiné de Coca: graves désordres psychiques et nerveux, altérations mentales et somatiques, hallucinations, délires.

COLCHIQUE D'AUTOMNE
Colchicum automnale
famille des Liliacées

Le Colchique est une plante maudite en ce sens que, tout d'abord, elle est très toxique et qu'en second lieu, elle fait partie de la batterie des philtres des sorcières. Capturé et corrigé par la chimie, le Colchique peut devenir aussi un analgésique et antipyrétique à petites doses. En effet, la colchicine et les préparations de Colchique sont employées comme remèdes efficaces contre les attaques aiguës de goutte. Mais, attention, ces remèdes doivent être administrés uniquement sur prescription médicale. Il n'existe aucun antidote contre le Colchique.

COCHLÉARIA
Cochlearia officinalis
famille des Crucifères

Herbe bisannuelle, le Cochléaria embellit les rivages marins, les bois humides et aussi les jardins. Il faut toutefois faire attention: le *Cochlearia officinalis* préfère les terrains salés, le *Cochlearia saxatilis* se trouve dans les roches calcaires, en montagne et le *Cochlearia brevicalis* nain vit dans les hautes Alpes orientales.

Le Cochléaria qui nous occupe, c'est-à-dire le *Cranson officinal*, est garni de grandes fleurs blanches disposées en grappes, qui produisent de minuscules et gracieuses siliques ovales, striées. Caractéristique commune des feuilles, elles sont très charnues: les feuilles inférieures sont peu découpées mais très pédonculées, en demi-lune à la base et incurvées comme une cuiller (c'est pour cela qu'en France le Cochléaria est appelé «herbe aux cuillers»), tandis que les feuilles supérieures sont sessiles et entourent la tige comme deux oreilles.

Le Cochléaria a, en général, la même saveur que le cresson et si on le froisse entre les doigts le Cochléaria dégage une odeur qui rappelle celle de la moutarde.

Bachström note dans son *Traité du Scorbut* qu'un marin atteint justement de cette maladie et abandonné sur une plage déserte du Groenland dans un triste état, guérit miraculeusement grâce au Cochléaria, la seule plante qu'il pouvait brouter puisqu'elle poussait à proximité et que la maladie l'avait privé de l'usage de ses jambes.

GRANDE CONSOUDE
Symphytum officinale
famille des Borraginacées

Appelée aussi «herbe du Cardinal» la Consoude est riche en propriétés thérapeutiques. En grec, *symphy-*

tum» signifie «je consolide», c'est-à-dire: je répare: cela démontre en quelle haute estime les Anciens tenaient déjà cette plante. Dioscoride avait l'habitude de prescrire l'usage de la grande Consoude dans les cas d'hémorroïdes et d'hémoptysie (crachement de sang provenant des bronches ou des poumons). La grande Consoude, partout où on la trouve, indique toujours un terrain gorgé d'eau: elle aime vivre en effet sur les rives des fleuves, dans les endroits marécageux, sous les peupliers, au bord des champs et, naturellement, près des fossés. Elle pousse de préférence en Europe centrale et en Italie septentrionale.

Cette plante sympathique et vivace possède un gros rhizome fusiforme, des feuilles rugueuses au toucher, ovales et de grandes fleurs roses ou violacées. Les feuilles ovales inférieures ont un pédoncule et parfois elles atteignent une longueur d'un mètre. On cueille la grande Consoude à l'époque de sa floraison, de mai à août; à ce moment-là en effet elle est riche en mucilage, tannin et hydrates de carbone. C'est justement parce que les préparations à base de Consoude sont riches en tannin qu'il ne faut pas les mettre en contact avec le fer.

Attention! attention! Avis important: une certaine *Symphytum tuberosum* (fleurs jaune clair, feuilles légèrement prolongées par des sortes d'ailes sur la tige, racine tubériforme à partir du collet, hauteur moyenne) induit chaque jour en erreur bien des apprentis herboristes: cette Consoude ressemble beaucoup à la *Symphytum officinale*, mais ne possède pas ses qualités.

Le saviez-vous?

Jadis, les nourrices fendaient la racine fraîche de la Consoude jusqu'à y pratiquer une petite cavité profonde comme un doigt de gant, puis elles y introduisaient le bout de leurs seins crevassés.

Les feuilles jeunes sont comestibles en salade et de la même manière que les épinards. Cependant, les feuilles ne possèdent pas les qualités que contient la racine.

Chez les femmes raffinées de l'Empire romain, le suc de Consoude était toujours, parmi les ingrédients de beauté, celui qui, venant au secours des demoiselles peu douées par la nature, faisait se pâmer devant les miracles accomplis les jolis cœurs masculins.

COQUELICOT
Papaver rhoeas
famille des Papavéracées

Le Coquelicot, proche parent du pavot, possède des effets narcotiques très légers par rapport à ce dernier. Il lui ressemble beaucoup. Il possède en effet, comme lui, quatre pétales très délicats et légers, de couleur noire à la base où se trouvent de nombreuses étamines et anthères de couleur bleuâtre. Exactement comme le pavot, le Coquelicot vit dans une capsule verte de sépales velus qui progressivement s'ouvriront et permettront aux pétales de «s'étirer». Quand le vent souffle, il disperse des fleurs du Coquelicot un nombre infini de petites graines qui à leur tour

donneront la vie à beaucoup de Coquelicots et en
même temps un grand casse-tête aux paysans peu
satisfaits de leur présence dans les champs de blé. Si le
paysan l'extirpe de ses terres, le médecin le récolte
avec amour, étend ses pétales sur des feuilles de
papier, les laisse sécher en des lieux chauds et secs,
bref le traite avec tous les égards qui lui sont dus.

CORIANDRE
Coriandrum sativum
famille des Ombellifères

La Coriandre est cultivée pour ses précieuses
semences. A titre tout à fait officieux, on pourrait dire
que la Coriandre est originaire de la Méditerranée
orientale; ce qu'on peut affirmer en tout cas avec certitude, c'est que les anciens Égyptiens, Hébreux et
Romains en exploitaient les qualités bénéfiques en
médecine. La plante fraîche exhale une désagréable
odeur de punaise écrasée, d'où son surnom de
«punaise mâle»; à sa base elle possède des feuilles à
lobes dentelés, tandis que les feuilles de sa tige sont
filamenteuses, rappelant celles du fenouil. Ses fleurs
ont une couleur rosâtre ou blanche. Ses fruits sont
très petits et légèrement innervés de bas en haut; une
fois secs, ils acquièrent une couleur rougeâtre.

Époque de l'ensemencement: mars-avril. La Coriandre a besoin d'une terre chaude, légère et fumée
depuis longtemps. La cueillette doit se faire en juillet
et août; elle sera meilleure si la Coriandre a été semée
fin août et laissée tout l'hiver en terre. La Coriandre,

à la différence des autres ombellifères, a un pouvoir germinatif peu vigoureux.

En raison de sa désagréable odeur, on peut dire que, surtout par temps pluvieux et à l'approche d'un orage, elle procure des maux de tête et des nausées à qui s'arrête dans les champs où elle pousse.

Olivier de Serres a dit à propos de la Coriandre: «Ses feuilles froissées dans la main puent comme les punaises écrasées, mais cela ne fait que donner un plus grand prix au bon parfum des autres plantes». Belle consolation...

COUCOU
Primula officinalis
famille des Primulacées

— Les enfants, lorsque vous rentrerez à la maison, ne rapportez pas de bouquets de coucous!

— Pourquoi, grand-mère?

— Parce que les poules ne pondraient plus d'œufs...

En vérité, la tradition a beaucoup jasé sur le Coucou, ou Primevère officinale: il fut un temps où l'on croyait que cette herbe guérissait la paralysie de la langue et le bégaiement.

Indépendamment des on-dit, il est un fait que le Coucou, ou Primevère officinale est une plante amie de la médecine. Ses propriétés thérapeutiques sont connues depuis l'Antiquité. Mais il faut ajouter qu'elle est aussi amie de la cuisine. Le Coucou est une plante persistante avec une rosette de feuilles allongées d'où s'élance la fleur unique d'un jaune un peu triste. Cette plante vit dans les lieux sauvages, herbeux et boisés, en montagne comme dans la plaine. Il y a donc Coucou et Coucou, celui de la plaine et celui des montagnes. Le premier est plus coloré. Le calice est un tube gonflé, à cinq dents profondes. La corolle est jaune vif. Le Coucou fleurit juste au début du printemps. On récolte son rhizome souterrain à la fin de l'hiver. Après l'avoir ramassé, on le nettoie, on le partage en deux dans le sens de la longueur, puis on le fait sécher au soleil.

COURGE
Cucurbita pepo
famille des Cucurbitacées

C'est une plante herbacée à larges feuilles velues et fleurs jaunes, qui donne de gros fruits ronds et comestibles à pulpe jaune. Il existe bien des variétés de Courges, parmi lesquelles les courgettes bien connues.

De cette noble cucurbitacée, nous avons tout dit dans le Tome II auquel nous renvoyons le lecteur pour toutes les fantaisies culinaires avec lesquelles il voudra divertir son palais.

CRESSON
Nasturtium officinale
famille des Crucifères (ou Cruciféracées)

Dans l'héroïque mythologie grecque, Japet et Clymène avaient donné naissance à trois gaillards de fils, les célèbres Titans, dont Prométhée qui, comme tout le monde le sait, fut le créateur de l'homme. A ce Titan de Prométhée, Zeus, maître des cieux et des eaux, voulut offrir la belle Pandore qui apportait en dot un étrange coffret, contenant entre autres dons remis par les dieux de l'Olympe, tous les malheurs qui auraient dû s'abattre sur l'humanité. Mais les desseins de Zeus ne se réalisèrent pas, dit la légende, parce que ce fut en fait Épiméthée frère de Prométhée qui épousa la belle Pandore. Épiméthée était un être très intelligent, mais terriblement distrait: ouvrant la fameuse boîte offerte par les dieux, il en avait laissé échapper tous les malheurs... Dans cette boîte, toutefois, il y avait aussi des dons utiles: on suppose que le *Nasturtium*, connu communément sous le nom de cresson, faisait partie de ces derniers.

C'est un fait que le Cresson jouissait d'une excellente réputation dans l'Antiquité. Les Grecs s'en servaient, par exemple, dans les académies militaires comme fortifiant pour les marches fatigantes et les exercices physiques pénibles auxquels étaient soumis les soldats.

Le bon Cresson pousse spontanément le long des rivières, parfois dans les eaux mêmes, si elles sont claires; il aime les sources et les ruisseaux, à condition qu'ils ne soient pas trop impétueux. Il aime aussi l'été, saison à laquelle il fleurit, et à laquelle il est recommandé de le cueillir juste avant la floraison.

Vous me demanderez comment le reconnaître: c'est une plante sans prétentions esthétiques, et même plutôt commune et délaissée: glabre, à feuilles alternes, un peu charnues et d'un beau vert, subdivisées en trois. Sa tige immergée a de nombreuses racines fines, longues et blanches.

CUMIN DES PRÉS
(voir à CARVI)

CUSCUTE
Cuscuta epithimium
famille des Cuscutacées

Plante herbacée parasite, sans feuilles, avec des fleurs rouges, douée d'une action carminative, cholagogue, laxative et antigoutteuse.

Nous soulignons l'adjectif «parasite». La Cuscute vit en fait en se nourrissant des autres plantes, comme le gui, du reste: elle suce, elle presse, elle absorbe. La Cuscute est un exemple vivant d'exploitation rationnelle.

La Cuscute n'a pas de racines. Ses semences tombent rapidement, condamnant la plante à périr, sauf si... sauf si elle rencontre une autre plante: alors, elles s'entortillent l'une sur l'autre, La petite plante de cuscute étreint l'autre, formant autour deux ou trois faisceaux comme les lobes d'un serpent. Aux points de contact, le filament de Cuscute grossit et forme des papilles alignées: les papilles bien vite se transforment en autant de petites vésicules, d'où sort, comme c'est le cas pour le gui, une aiguille qui perfore les tissus de «l'hôte» comme une seringue. A partir de ce moment-là la Cuscute a son existence assurée. Si la proie grandit, la Cuscute grandit aussi. Si la proie grossit, la Cuscute grossit aussi, elle lance de nouvelles ramifications qui viennent entourer la plante victime, pénétrant avec ses aiguillons dans les tissus de la captive.

Ainsi, bien nourrie, la Cuscute fleurit — ce sont de petites fleurs roses, parfois rouges — elle porte des fruits, puis disperse ses graines au vent... qui iront «se saisir» de quelque autre plante... pour continuer à vivre.

La présence de la Cuscute, qui enserre de son étreinte meurtrière les plantes fourragères, est un spectacle qui peut faire réfléchir. On voit peu à peu le champ jaunir, le vert disparaître lentement: triomphe de la Cuscute et mort du trèfle et de la luzerne.

Le saviez-vous?

Dans les forêts américaines, il se trouve des espèces de Cuscute qui s'attaquent aux gros arbres et vivent à leurs dépens.

DATURA
voir STRAMOINE.

DIGITALE POURPRE
Digitalis purpurea
famille des Scrofulariacées

Commençons par dire que c'est une plante, non pas vénéneuse, mais archi-vénéneuse: il est clair qu'elle doit être absolument exclue de l'usage courant. Elle sera cueillie et soigneusement traitée par des mains de

spécialistes, en vue d'un usage médicinal. Les feuilles
en effet contiennent plusieurs principes actifs, parmi
lesquels la digitonine, la digitoxine, la digitaline, qui
régularisent les fonctions cardiaques. Une plante,
donc, réservée aux malades du cœur. Notable en effet
est son action sur le myocarde.

Cela dit, il reste à savoir comment éventuellement
la reconnaître: il s'agit d'une plante légèrement velue
à la racine fuselée, aux feuilles ovales lancéolées, longues et de couleur vert sombre. Les fleurs sont d'un
beau rouge pourpré, portant à l'intérieur des taches
plus foncées. La Digitale est une plante bisannuelle,
qui pousse spontanément; elle est abondamment
répandue en Sardaigne, en Sicile, dans le Latium et
naturellement dans bien d'autres pays d'Europe. En
France, elle pousse surtout dans les Vosges, l'Anjou,
le Morvan et la Bretagne. Où la trouver? Dans les
buissons, dans les forêts, les coins herbeux, mais toujours ensoleillés. Il arrive souvent qu'on la trouve
aussi dans les jardins, où sa haute taille et son élégance
en font une plante d'ornement assez décorative.

DOUCE-AMÈRE
Solanum dulcamara
famille des Solanacées

C'est une liane avec des fleurs à cinq lobes, violettes
au cœur jaune. Vous la reconnaîtrez facilement à
l'époque de la maturité à ses baies ovoïdes. Ses feuilles
sont ovales ou même en forme de pointe de halle-
barde, alternées avec un pétiole, et un peu velues. La

Mandragora.

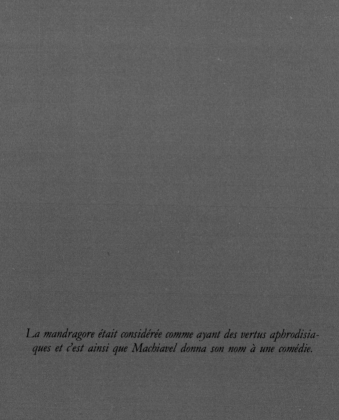

La mandragore était considérée comme ayant des vertus aphrodisiaques et c'est ainsi que Machiavel donna son nom à une comédie.

Douce-amère est une plante grimpante qui peut atteindre 2 mètres de haut. Elle fleurit et se répand pendant l'été. Suivant les régions, on l'appelle vulgairement «coraline», ou encore «morelle grimpante».

De cette plante, on utilise seulement la tige pleine de moelle, qu'on cueille au début de l'été. Disons-le tout de suite et clairement: la Douce-amère est vénéneuse et doit être absolument proscrite de l'usage familial.

Le saviez-vous?

Avec le suc de ses rameaux on préparait jadis des narcotiques à effet hallucinant.

DROSERA
Drosera rotundifolia
famille des Droséracées

Les Droseras ou Rossolis vivent en colonies, autrement dit en touffes. Pour les trouver, marchez le long des marais, des étangs; pour les reconnaître: rosettes de feuilles curieuses, étalées sur le sol, qui finissent en un pétiole mince et long... Le Drosera est une plante qui a été longtemps l'alliée de la magie. C'est avant tout une plante carnivore: elle capture les insectes. Peut-être est-ce en raison de cette vocation de la plante que les «sages» des campagnes l'ont toujours utilisée pour leurs sortilèges. La plante devait se cueillir à minuit, la nuit de la Saint-Jean, d'une étrange manière: en marchant à reculons pour faire perdre les traces au Diable. Cette plante, attachée au démon, est une plante qui a toujours inspiré la crainte. «Une seule plante de Drosera placée dans une étable ou une maison y provoque une fièvre pernicieuse» écrivait jadis Leproux. En France, la plante passait pour être phosphorescente de nuit; de jour, on la découvrait en observant les piverts qui volaient d'une manière étrange pour s'en saisir afin, suivant la tradition, de durcir leur bec. Si quelqu'un voulait acquérir de la vigueur, il n'avait qu'à se frotter le corps avec les feuilles de la plante pendant la nuit de la Saint-Jean. Si tel autre ne voulait plus retourner chez lui, il lui suffisait de marcher sur la plante: on disait, en effet, que celui qui avait piétiné des Droseras ne parvenait plus à retrouver son chemin.

Le Drosera se présente ainsi: les feuilles, étendues sur le sol et qui se rétrécissent en un pétiole mince et long, sont garnies de nombreux cils; ces cils scintillants donnent l'impression d'une plante toujours humide de rosée. Essayez d'examiner l'une de ces feuilles à la loupe: vous ne pourrez pas ne pas être saisi par son aspect qui rappelle la forme d'un animal: les cils qui dépassent le long du bord semblent des tentacules de monstre marin. C'est probablement parce qu'ils sont attirés par la fausse innocence de la plante, que les insectes viennent se poser sur ses feuilles: ils sont perdus. Un jet visqueux et impitoyable les paralyse. Peu à peu les cils du bord se replient, et étreignent la proie sur laquelle ils se referment: ces cils-pièges, en dévorant l'insecte, sécrètent des sucs que la chimie utilise.

ÉCORCE SACRÉE ou:
CASCARA SACRADA
Rhamnus purshiana
famille des Rhamnacées

Savez-vous pourquoi on l'appelle «écorce sacrée»?
Le terme vient du mot espagnol *cascara* qui veut dire
«sacré». Mais sacrée, pourquoi? Parce que, d'après la
légende, ce serait justement avec ce bois qu'on aurait
construit l'Arche d'alliance. Les textes parlent d'un
arbre provenant de Californie, d'autres de l'Afrique
septentrionale. Si nous devons croire la légende, la

Rhamnus purshiana devrait avoir été connue des Hébreux, s'il est vrai que David en tira le bois pour construire la demeure du Très-Haut. Ce qui est certain, c'est que dès la fin du XVIIIe siècle, la Cascara était déjà utilisée en Californie. Ce n'est qu'au siècle suivant qu'elle sera introduite en Europe à des fins thérapeutiques.

On laisse l'arbre se développer pendant 4 à 6 ans jusqu'à ce qu'il atteigne une hauteur de 3 à 4 mètres; à ce moment-là, on l'abat. On utilise l'écorce du tronc qui se détache pendant l'été et on la fait sécher.

ÉGLANTIER
Rosa canina
famille des Rosacées

Les enfants l'appellent «gratte-cul», les poils internes de la fleur étant en effet irritants et désagréables. L'Églantier possède des fleurs très fragiles, un cœur jaune, cinq pétales. On peut le considérer comme l'un des plus beaux rosiers. On le trouve à proximité des haies et des buissons. On l'appelle aussi «rosier des chiens» parce qu'autrefois on soignait la rage avec sa racine; son nom dérive donc du grec *kynorrhodon*. L'Églantier qui fleurit pendant les mois de mai et de juin porte des fruits qui sont appelés «cynorrhodons» par les botanistes. Ses fleurs sont de simples petites roses dont la caractéristique particulière est de posséder un réceptacle en forme de coupe fermée qui devient charnu à maturité et qui contient des akènes ou graines, protégés par un mélange de poils raides.

Sur les bords de ce réceptacle sont situés les cinq pétales, les cinq sépales serrés et les nombreux stigmates.
    Cette rosacée peut atteindre plusieurs mètres de
hauteur. La culture en est simple: il suffit d'enterrer
les rejets pendant l'hiver.

Le saviez-vous?

    S'arrêter devant un Églantier riche en fleurs, le jour
du solstice d'été, à midi, fermer les yeux, aspirer le
délicat parfum qui s'en exhale, et dans cette position
s'associer aux louanges pour la terre, est depuis toujours considéré comme un rite vénérable.
    Saviez-vous encore ceci? Donner aux chiens, de
temps à autre, quelques baies d'Églantier les débarrasse des parasites.
    Maintenant, trois petites informations dont deux
de caractère historique. Homère raconte que les
Troyens connaissaient l'onguent de rose (que l'on
tirait de toute rose mise à macérer sous le soleil dans
l'huile et dans le vin), et l'utilisaient comme collyre
pour les maladies des yeux. L'Arabe Avicenne nous
communique qu'il a guéri un jour une enfant mori-
bonde avec de la conserve de roses. Le troisième rap-
pel est de caractère, disons, sportif: l'inoubliable coureur cycliste Coppi qui connaissait les grandes vertus
de la rose, en préparait d'excellentes conserves.
    Enfin, voici des informations sur la célèbre eau de
rose. Nous supposons que vous aimeriez savoir comment on la prépare: assurez-vous que les fleurs n'ont
pas subi de traitements à base d'engrais ou d'insectici-

des chimiques; faites bouillir un demi-litre d'eau dans
lequel vous aurez mis 50 grammes de pétales de roses,
couvrez; après avoir retiré le tout du feu, laissez infuser cinq minutes; filtrez et transvasez dans un flacon
préalablement stérilisé. Attention! ne saccagez pas
votre jardin en coupant toutes les fleurs: les roses ne
doivent pas être coupées, mais effeuillées.

ELLÉBORE (NOIR)
Helleborus ou elleborus niger
famille des Renonculacées

Cette plante herbacée aux belles fleurs d'un blanc
pur, aux feuilles divisées en cinq parties comme les
doigts d'une main ouverte, ne possède pas de tige et
fleurit de décembre à mars. Connu également sous le
nom de «rose de Noël», l'Ellébore possède encore
d'autres surnoms moins édifiants comme «pied de
griffon», «Fève de loup», «Ellébore noir». Il ne jouit
pas d'une bonne réputation car il est très toxique.
Quand on ne le cultive pas pour la beauté de ses
fleurs, il pousse spontanément dans les décombres et
les endroits boisés. Selon les Anciens, la plante d'Ellébore était maléfique, autrement dit «portait la gui-
gne» en ce qu'elle attirait la calomnie et la mauvaise
réputation.

La mythologie raconte que les filles de Proétos
furent guéries de la folie avec des vapeurs de cette
renonculacée âcre et vénéneuse par les soins de
Mélampos, prophète de Dyonisos (Bacchus).

Paracelse nous fait savoir qu'au temps jadis — nous

voulons parler ici du Moyen Âge — le dénommé «onguent satanique» était confectionné avec de la racine d'Ellébore pulvérisée soigneusement, plus une pincée de fleurs de chanvre, une pincée de coquelicot, à quoi on ajoutait quelques grammes de chanvre indien. Préparé suivant les règles de l'art et répandu sur tout le corps, l'onguent procurait la sensation d'assister à un sabbat.

La poussière de racine d'Ellébore était en outre utilisée, toujours en magie, pour protéger des animaux dangereux ou nuisibles.

ÉPINARD
Spinacia oleracea
famille des Chénopodiacées

Qui ne l'a vu? Ou mieux: qui ne l'a mangé? Nous avons connu un moine, homme bon et rempli de la crainte de Dieu qui, très souvent invité à des repas, avait coutume d'aller flairer les casseroles avant de s'asseoir à table, puis déclarait: «Le Seigneur disait aux siens: l'herbe est bonne pour les vaches».

Évidemment, le père Vittorio n'avait pas la moindre idée de ce que sont les herbes comestibles, et surtout l'Épinard qui contient des protéines, des matières grasses, des sucres et toutes sortes de bonnes choses.

Photo d'usage: tige rameuse, feuilles grasses de couleur sombre, fleurs verdâtres. Biographie: l'Épinard vient du Caucase et de la Perse.

Le saviez-vous?

L'eau dans laquelle on a fait cuire les Épinards est excellente pour laver les vêtements de laine noire.

ERGOT DE SEIGLE
Claviceps purpurea
famille des Pyrénomycètes

Prenez garde à l'Ergot de seigle (ou seigle ergoté)! Il a déjà fait beaucoup de victimes: les épis du seigle ordinaire s'altèrent par suite de l'introduction d'un minuscule champignon parasite, le sclérote, qui s'installe dans leur ovaire et les rend très vénéneux. C'est le vent, le vent de printemps qui est complice de cette intrusion. Il transporte, dans son innocence, les spores du champignon qui substitue son mycélium (corps végétatif du champignon formé par des filaments blanchâtres) a l'ovaire de l'épi. Disons comment est fait ce seigle ergoté: forme d'éperon ou de cornet, long de deux à trois centimètres, presque cylindrique, très souvent arqué, de couleur violacé sombre extérieurement, blanchâtre intérieurement.

Le saviez-vous?

A un récent congrès de médecins, de nombreux conférenciers ont fait état de leurs expériences réalisées dans le domaine de la thérapeutique de la sclérose cérébrale et faisant appel à une substance récemment découverte en Italie, dérivée... de l'Ergot de seigle. Il s'agit de la *dihydroergocristina*. Il semble que cette substance, surtout lorsqu'elle est administrée au patient âgé, parvienne à accroître de 40 % l'afflux de sang au niveau du cerveau. Suivant le professeur Barone, gérontologue de Naples, qui a personnellement dirigé une expérimentation sur plus de trois cents patients âgés, la *dihydroergocristina* fait disparaître les symptômes de l'anxiété et de l'irritabilité; elle fait disparaître les vertiges, la baisse de l'ouïe, la perte de la mémoire, les crises dépressives. Bref, elle combat avec succès la sclérose cérébrale caractéristique des processus artérioscléreux déjà instaurés. Il ne fait aucun doute qu'il s'agit d'une thérapeutique nouvelle présentant un grand intérêt.

EUCALYPTUS
Eucalyptus globulus
famille des Myrtacées

Cette plante que nous citons parmi les herbes et plantes herbacées peut atteindre jusqu'à 100 mètres de haut; ce n'est donc pas une herbe à proprement parler, cet Eucalyptus qui provient d'Australie. En Europe, où il a été apporté, il peut atteindre la hauteur de 50 mètres, ce n'est donc pas non plus une herbe en Europe.

Si nous nous intéressons ici à l'Eucalyptus, c'est surtout pour rendre hommage à son écorce qui contient des substances tanniques allant jusqu'à 4 % de tannin; à ses feuilles utilisées en médecine comme antiseptique et anticatharreux et pour tant d'autres

choses encore. Vous avez trouvé cet Eucalyptus dans
la phytothérapie (voir Tome I).

L'Eucalyptus est une plante bizarre. Comme on le
sait, il est surtout connu pour la précieuse huile qu'on
extrait de sa lymphe. Mais il s'enorgueillit aussi de
propriétés plus singulières: par exemple, celle de pouvoir protéger ses propres feuilles de la chaleur exces-
sive du soleil en les orientant à volonté pour qu'elles
ne soient pas atteintes de plein fouet. En outre,
l'Eucalyptus «absorbe» les bruits. Quand deux personnes se trouvent dans un bois d'Eucalyptus à une
distance d'à peine dix mètres, elles ne peuvent plus
s'entendre, même en criant très fort. Cette propriété
d'absorber les ondes sonores vient de son tronc qui, à
la différence de ceux des autres plantes en général,
n'est pas dur et sec, mais plutôt mou.

Le saviez-vous?

Saviez-vous que les émanations d'essence d'Eucalyptus dans les poulaillers débarrassent leurs plumes
des parasites, sans faire de mal aux poussins?

EUPHRAISE
Euphrasia officinalis
famille des Scrofulariacées

C'est une plante charmante, aux très jolies feuilles,
haute de quelques centimètres, aux fleurs blanches
striées de violet ou de jaune. Elle vit au flanc des col-

lines où elle fleurit de mai à octobre dans les terrains argileux. On l'appelle aussi «herbe des myopes». Donc, charmante et dotée de sentiments humanitaires, mais aussi parasite. L'Euphraise, comme la cuscute et, nous le verrons, le gui, est une plante profiteuse: elle vit en volant. Voilà comment. Les semences d'Euphraise se dispersent au vent. En retombant à terre, elles germent, mais leurs jours seraient comptés si... que va-t-il se passer? Il se passe que les semences germent, qu'il en sort des racines, une tige et des feuilles: dans tout cela elles semblent, à première vue, se comporter en plante normale et irréprochable. Eh bien, pas du tout! Les racines d'Euphraise s'attaquent à celles des autres plantes d'où elles tirent leurs aliments au moyen de petits suçoirs en forme de nœuds qui adhèrent aux tissus de la victime. Quand le plant d'Euphraise arrive à la fructification, il a déjà tué la proie dont il a reçu la vie.

Mais il est possible que les plantes aient aussi leur justice. L'Euphraise qui a tué ne survivra pas longtemps. Après avoir dispersé ses semences, la profiteuse est condamnée. Elle mourra elle aussi. Dans une envolée, un botaniste a écrit: «Elle meurt comme si le remords de sa vie scélérate devenait insupportable!»

Saviez-vous que ce sont les Arabes qui furent les premiers à divulguer ses hautes propriétés thérapeutiques, tonifiantes, astringentes, ophtalmiques?

L'Euphraise est appelée aussi, nous l'avons dit, «herbe des myopes». Ce que vous ne savez pas, c'est qu'un grand médecin obtint de cette plante une amélioration de la vue d'un patient quand tous les autres traitements s'étaient montrés inefficaces.

FENOUIL
Foeniculum vulgare/dulce
famille des Ombellifères

Regardez bien cette plante: Il n'y a pas à dire, elle est élégante, souple, en un certain sens attirante.

Annuelle ou bisannuelle, parfois persistante, aux tiges rameuses et pleines, elle peut atteindre la hauteur de presque 2 mètres. Les feuilles sont engainées sur la tige, les fleurs jaunes; le fruit est un disquène oblong marqué de 5 côtes égales entre elles. Le Fenouil pousse spontanément dans les lieux incultes et fleurit pendant les mois chauds. La plante est très répandue dans les zones vallonnées et ensoleillées. Il existe aussi de nombreuses espèces cultivées. La plante fleurit de juin à août.

Vous aurez remarqué, pendant les vacances au bord de la mer, cette plante aux touffes très fournies qui pousse autour des rochers: c'est elle qu'on appelle le Fenouil marin.

Pour sa culture, le Fenouil demande un terrain riche et bien exposé. On le sème au printemps, «à la nouvelle lune», disait-on jadis.

FOUGÈRES
classe des Ptéridophytes

Les Fougères ne sont pas une famille: c'est tout un peuple.

À propos, comment les appelle-t-on en latin? Nous ne le savons pas: il faudrait d'abord établir de quelle Fougère nous voulons parler, car il y en a de bien nombreuses espèces. Il y a, par exemple, la Fougère douce ou «polypode» (voir Polypode). Il y a, aussi, le Capillaire de Montpellier, appelé poétiquement «cheveu-de-Vénus» (*Adiantum capillus veneris*), avec toutes ses sous-espèces; il y a la Fougère aigle (*Pteridium aquilinum*) et la Fougère mâle (*Dryopteris filis mas*) et bien d'autres Fougères encore.

Avant de les passer sommairement en revue, nous dirons qu'il y a 350 millions d'années, le peuple des Fougères était à l'apogée de sa splendeur. Ce sont ces Fougères qui sont à l'origine de la formation du carbone fossile, du charbon. Saviez-vous que les charbons du bassin de Saint-Etienne, sont formés de Fougères pour les deux cinquièmes?

Les Fougères se reproduisent d'une manière assez curieuse: en deux temps. Observez par exemple la Fougère mâle, plante très commune des lieux ombragés de notre pays, où elle pousse en colonies bien organisées. De grandes feuilles, qu'on appelle des «frondes», doublement dentelées et tenues droites par un pédoncule qui, en se prolongeant dans les lobes s'appelle «rachis», naissent d'un rhizome gros et un peu rampant, qui constitue la vraie tige de la plante. Vers le milieu de l'été, vous verrez sur le dessus de ces frondaisons des petites boules, d'abord recouvertes d'une espèce de peau gris bleuâtre; puis, quand la peau de protection s'en va, les petites boules apparaissent brunes et formées d'un certain nombre de petits grains à peine visibles à l'œil nu; ces petits grains se nomment des sporanges; à la maturité, ils s'ouvrent et libèrent de minuscules spores; les frondes des Fougères portent ainsi à maturité de nombreux spores qui ne sont rien d'autre que des spores regroupés. A peine auront-ils trouvé les conditions d'humidité nécessaires qu'ils germeront en petites lamelles, vertes et plates, en forme de cœur. Sur la face inférieure, autrement dit celle qui est tournée vers la terre, les limbes portent les organes masculins et féminins: ainsi la fécondation s'accomplira par l'eau.

Après la fécondation, la cellule-ovule se divisera, donnant naissance à une première racine et à une première feuille. Et c'est ainsi que naît une nouvelle Fougère.

Penchons-nous un peu maintenant sur les diverses sous-espèces. Prenons le Capillaire *(Adiantum capillus veneris)*. Le Capillaire naît, vit et meurt près des fontaines, des sources, à l'entrée de grottes humides, sur le bord des rivières. Cette fougère est facilement reconnaissable à ses pétioles noirs et fins. Le Capillaire est en quelque sorte une plante privilégiée, en ce sens qu'elle est destinée à être enlevée de terre pour être cultivée en appartement.

Voyons aussi la «Cédraque» *(Ceteracha officarum)* appelée également «herbe dorée» pour les écailles roussâtres qui recouvrent la face inférieure des feuilles étroites. La Cédraque, plante vivace et toujours riche de feuilles, aime pousser et orner les vieux murs. Réaction curieuse au soleil: les rayons du soleil la font grossir, tandis qu'à l'ombre, au contraire, la Cédraque s'allonge.

La Fougère aigle (ou «grand-aigle») *(Pteridium aquilinum)*: feuilles grandes et triangulaires (qui peuvent atteindre jusqu'à 3 mètres de haut), très découpées, abondantes au point d'envahir parfois les prés abandonnés. On la coupe de préférence à la fin juin; elle fournit et enrichit la terre d'acide phosphorique, d'azote et de magnésium.

La Fougère mâle *(Polystichum filix mas)*: son aspect est plus ou moins le même. Nous dirons tout de suite que la Fougère mâle est une plante toxique; attention donc, ne l'utilisez qu'avec la plus grande prudence. La Fougère mâle préfère les coins ombragés des jardins et des parcs. De vieilles traditions nous affirment que ceux qui s'étendent sur un tas de fougères sont sujets aux étourdissements et à de violents maux de tête; ils

Matricaria.

La matricaire, qui dégage une odeur douceâtre, ressemble à la camomille.

pourraient même succomber à un sommeil définitif.
Sur le Polypode, nous verrons à ce mot.

FRAGON ÉPINEUX
Ruscus aculeatus
famille des Liliacées

Cultivé comme plante ornementale, le Fragon épineux, ou petit houx, possède des bourgeons qui sont comestibles, des graines que l'on utilise comme succédané du café et des rhizomes qui, sous forme de décoction, constituent un excellent diurétique; en somme, on ne gaspille rien de cette plante.

FRAISIER
Fragaria vesca
famille des Rosacées

La fraise, pour son incomparable saveur, est souvent victime de véritables expéditions lancées par petits et grands qui vont la surprendre où elle se trouve, c'est-à-dire dans les coins herbeux et dans les bois de notre pays. Il faut la décrire pour qu'on ne la confonde pas avec la *Potentilla fragariastrum*, autrement dit «la fraise folle» qui appartient, elle aussi, à la famille des Rosacées. Voici ce qu'elles ont en commun: les feuilles trifoliées, les fleurs blanches à cinq pétales séparés et de nombreuses étamines; le calice à 5 sépales doublés d'un calicule à 5 divisions et les racines qui émettent des stolons. Voici, par contre, ce qui les distingue: les pétales, avant tout, qui sont ovales; les folioles qui sont sans pétiole et qui se rattachent directement à la branche.

Le Fraisier est une plante très ancienne; le poète romain Virgile l'a chanté dans l'une de ses Églogues.

Nous sommes parfois habitués à faire un procès à cette rosacée parce qu'après en avoir mangé avec démesure, nous voyons notre corps se couvrir de plaques d'urticaire. Le phénomène n'est pas grave: il indique seulement que la désintoxication est si rapide, dit Mességué, que les toxines ressortent à fleur de peau et provoquent des éruptions cutanées. Que faire alors? Vaga écrit: «L'urticaire qui vient habituellement chez les sujets qui sont allergiques à ce fruit, pourrait s'éliminer en habituant l'organisme à l'accepter petit à petit...» Ce qui signifie: deux fraises le premier jour, trois le deuxième, quatre le troisième et ainsi de suite.

Le saviez-vous?

Cette nouvelle concerne les femmes: si vous voulez redonner de la fraîcheur à votre visage fatigué, faites-vous une application de quelques tranches de Fraises fraîches et bien mûres sur le visage.

FRAXINELLE
Dictamnus albus

La Fraxinelle (ou dictame blanc) aime la colline, les arbres, les buissons. C'est une plante herbacée à feuillage persistant, couverte de poils; la tige est dressée, les feuilles alternes, les fleurs irrégulières: cinq pétales blancs veinés de rose.

La Fraxinelle exhale une intense odeur de citron. Cette plante a été créée comme toutes les autres, pour venir en aide à l'homme: les sommités fleuries, que l'on cueille de juin à août, exercent en effet, sous forme d'infusion, une action bénéfique antispasmodique. Quant à l'écorce de la racine que l'on ramasse en septembre-octobre, on l'utilise en infusions et tisanes au pouvoir tonique. Les fleurs produisent une eau parfumée, très recherchée pour composer des produits cosmétiques.

Le saviez-vous?

Pendant les chaudes soirées d'été, les parties fleuries dégagent une étrange essence volatile qui peut s'enflammer.

GAILLET-JAUNE
Galium verum
famille des Rubiacées

Il s'annonce en général en se faisant précéder d'une forte odeur de miel, si forte qu'elle en est franchement désagréable. Le sympathique Gaillet ou Caille-lait ou Herbe-à-cailler parfume les régions montagneuses, maritimes et les terrains herbeux. Il fleurit en été, et c'est à ce momen~-là qu'on en récolte les sommités fleuries. Les fleurs, très nombreuses, forment un panicule oblong très fourni. Les feuilles filiformes, luisantes, vert sombre, réunies à 8 ou 12, autour d'un même point de la tige, semblent constituer de véritables tentacules. Dans l'Antiquité, la médecine exploitait les propriétés du Caille-lait pour combattre l'épilepsie et le «mal de Saint-Valentin». En 1588, les savants le recommandaient dans le traitement de la teigne des enfants.

En Angleterre, encore aujourd'hui, on l'utilise dans la fabrication du fromage de Chester. La racine de cette plante sert à teindre la laine en rouge, tandis que ses sommités fleuries, traitées avec de l'alun, donnent à cette même laine une couleur orangée.

GENÉVRIER COMMUN
Juniperus communis
famille des Conifères

Le Genévrier aime les montagnes où il fleurit de février à avril. C'est un arbuste haut parfois d'environ 2 mètres, avec des feuilles piquantes. Dans les prairies alpestres croît une variété de Genévrier aux feuilles moins piquantes sur un arbuste nain le *Juniperus nana*. Avez-vous jamais vu les baies de ce conifère? Grosses comme des pois, brillantes, brun violacé, très aromatiques, à la saveur d'abord douce puis amère, elles contiennent une substance appelée junipérine ainsi que des acides végétaux.

En médecine, on utilise l'essence de Genévrier pour son action sudorifique et diurétique. Rappelons aussi le vin de genièvre: digestif, apéritif et antirhumatismal (pour les propriétés thérapeutiques de cet arbuste, voir notre tome I).

Nous oublions de dire que le Genévrier *communis* a un frère le *Juniperus oxycedros* qui est de la même famille des Conifères, et appelé aussi Genévrier oxycèdre ou cade. A la différence du *communis*, l'*oxycedros* a une prédilection pour les régions méditerranéennes. Il a des branches plus fortes que le Genévrier commun et elles sont de couleur rouge, mais il a les mêmes utilisations que le Genévrier commun.

En Alsace, c'est un aromate indispensable à la choucroute, c'est également l'un des composants du gin.

GENÊT À BALAIS
Sarothamnus scoparius
famille des Papilionacées

On sait que les bergers d'Auvergne pouvaient, de leurs propres yeux, observer l'immunisation de leurs brebis qui, après avoir été mordues par une vipère, broutaient du Genêt. Plus récemment, la médecine a démontré que le sulfate de spartéine contenu dans le Genêt possède un certain pouvoir antivénéneux. Les expériences de laboratoire ont donné des résultats surprenants: 40 % des rats mordus par un cobra réussissent à survivre sous l'action de la poudre de fleurs de Genêt.

Cette plante se reproduit très facilement; elle est également utilisée à des fins ornementales. Les graines doivent être récoltées juste avant la maturation (quand le légume est sec, il éclate et expulse énergiquement ses semences), puis laissées à l'air au grenier.

Il faut les semer au vol, sur une terre bien propre, et repiquer les meilleurs plants mais seulement quand ils ont atteint un développement suffisant.

Le saviez-vous?

Le Genêt d'Espagne, dans certains pays, sert à la fabrication du papier; beaucoup d'autres pays pourraient l'exploiter de la même manière et s'épargneraient ainsi de pénibles et dangereux déboisements.

Sa silhouette poétique est bien connue: le breton Théodore Botrel et d'autres poètes ont chanté les Genêts d'or de nos landes et de nos montagnes.

Cette plante est un arbuste qui dresse de gros buissons de rameaux effilés et d'un beau vert avec de minuscules feuilles. Il fleurit sous la couleur d'un éclatant jaune vif mais dégage une odeur peu agréable. Il servait dans de nombreuses régions à confectionner des balais, mais c'est plutôt pour ses qualités ornementales qu'on l'utilise maintenant dans les jardins. On en cultive de nombreuses variétés aux fleurs teintées de rose, de rouge et de brun. Les Genêts ont une préférence pour les sols siliceux, d'où leur présence sur la lande bretonne.

Cet arbuste ne doit cependant pas être confondu avec le Cytise Aubour (*Laburnum vulgare*), petit arbre aux fleurs jaunes pendantes et aux feuilles velues, ni avec le Genêt d'Espagne (*Spartium junceum*) plus grand de taille et dont les fleurs sont agréablement odorantes. En effet, ces deux arbustes sont tous deux toxiques.

Il sert, en médecine officinale, comme analeptique cardiaque et ocytocique (aide à l'accouchement). Ses fleurs, qu'on prend en infusions, sont moins actives mais cependant recommandées contre la goutte, les rhumatismes, l'hydropisie et l'albuminurie; de plus, elles activent les mouvements de la respiration.

GENTIANE JAUNE
Gentiana lutea
famille des Gentianacées

Appelée aussi grande Gentiane, cette plante est vivace et pousse abondamment dans les régions vallonnées des Apennins et des Alpes. Elle est curieuse, au moins d'aspect, facilement reconnaissable à sa tige, qui est haute et robuste, à ses feuilles qui sont grandes, ovales et les unes en face des autres, par ses fleurs qui sont d'un beau jaune d'or et munies d'un long pédoncule à 5 ou 9 pétales, quelquefois 6. La Gentiane est une plante qui vit très longtemps, parfois jusqu'à cinquante ans; elle a une enfance longue, une jeunesse lente, et une maturité difficile, bref une vie bien tourmentée. On a écrit d'elle: «Du fait que la croissance de cette plante est très lente et qu'elle est souvent arrachée avant la floraison, elle finit par disparaître de son habitat naturel.» Quelqu'un a jeté le cri d'alarme: laissez vivre les Gentianes! En effet, la disparition de cette plante signifie celle de certains principes actifs largement utilisés.

On utilise ses rhizomes et ses racines qui ont un goût très amer et se récoltent au printemps et à la fin de l'été sur les plantes ayant deux ans. Une fois récoltées, il faut nettoyer les racines sans les laver; puis on les coupe en morceaux et on les fait sécher.

Le saviez-vous?

Dans les Alpes on faisait jadis macérer la Gentiane dans du vinaigre car, disait-on, elle combattait victorieusement toutes les maladies contagieuses. On disait autre chose: qu'il suffisait de mastiquer tous les jours un morceau de Gentiane pour jouir d'une longue vie et d'une verte vieillesse.

On dit que ce fut le bon roi Gentius d'Illyrie qui la fit connaître à son peuple. Nous devons ajouter qu'un autre texte veut que Gentius fut médecin et non roi.

GÉRANIUM-ROBERT
Geranium Robertianum
famille des Gérianacées

Le Géranium-Robert a des tiges roussâtres, des feuilles très découpées et de petites fleurs d'un rose violacé. La médecine s'en sert pour les infections des végétations, etc. L'herbe-à-Robert se cache dans les haies, dans les lieux ombragés, dans les sous-bois, le long des routes. En la frôlant, regardez-la et contentez-vous de... la saluer.

GERMANDRÉE
Teucrium chamaedrys
famille des Labiacées

La Germandrée est une herbe à tiges d'abord rampantes qui, ensuite, se dressent et sont très ramifiées: les feuilles sont ovales, les fleurs de couleur rose-rouge.

La Germandrée naît et vit dans les haies et les vieux murs.

C'est la plante préférée des abeilles: le miel qu'on en obtient est en effet parmi les plus aromatiques. Les hommes aussi la recherchent, mais pas autant: on peut faire avec la Germandrée une infusion ou une décoction qui est tonique, digestive, laxative, antihémorroïdaire. La Germandrée sert également dans l'industrie des liqueurs et entre dans la composition de diverses boissons alcoolisées comme la Chartreuse.

C'est de la plante fleurie qu'on se sert, on la cueille de juin à août. Une dernière précision: dans de nombreuses régions, cette herbe est connue sous le nom de «petit chêne».

GINGEMBRE
Zingiber officinalis
famille des Zingibéracées

Le Gingembre est une plante herbacée aromatique dont le rhizome tubéreux fournit une drogue piquante utilisée en médecine pour ses propriétés toniques, fébrifuges et antiscorbutiques, et en cuisine comme condiment et pour la fabrication de liqueurs par l'industrie. En Angleterre, par exemple, on produit avec le Gingembre du vin et de la bière très appréciés des Anglo-Saxons. Cette fille légitime des Zingibéracées pousse en Inde, à la Jamaïque et à Ceylan.

GINSENG
Panax ginseng (ou *Aralia ginseng*)
famille des Araliacées

Le Ginseng commence à être à la mode. Mais qu'est-ce que le Ginseng? C'est la racine d'une petite plante connue en Europe depuis plus d'un siècle sous le nom de *Panax ginseng*. En Chine, il y a plus de cinq mille ans que cette racine fournit à la médecine un médicament de première importance.

Le Ginseng pousse spontanément dans les régions du nord-est de la Chine, de la Mandchourie, de la Corée, de la Sibérie et de la Mongolie. Pourquoi Ginseng? Parce qu'en Chinois cela signifie «plante-homme». Et pourquoi «plante-homme»? Pour sa vague ressemblance avec le corps humain: ce qui explique qu'on ait attribué à cette plante, comme il est advenu chez nous pour la mandragore, des pouvoirs magiques. Nous avons déjà parlé de ses propriétés régénératrices et aphrodisiaques par ailleurs.

Il semble que la récolte en Chine était et demeure très contrôlée. Le Ginseng devait rester en Chine: jadis l'exportation était punie de mort. De nos jours, par contre, elle est autorisée, peut-être aussi parce que, pour un Ginseng qui sort, ce sont des dollars qui rentrent!

Le premier à apporter en Europe la nouvelle des extraordinaires propriétés de cette «racine de vie» fut fort probablement Marco Polo au XIVe siècle, de retour de son long voyage en Chine. L'étude pharmacologique ne commencera qu'entre le XVIIIe et le XIXe siècle, quand les voyageurs et les marchands rapporteront d'Extrême-Orient les premiers morceaux de racine, puis la plante entière. Ce sont les médecins homéopathes qui feront la découverte des propriétés du Ginseng.

Mais l'entrée officielle en Occident remonte à la guerre de Corée. On a découvert alors que les principales substances actives contenues dans la racine sont le panaxydiol, le panaxtriol et un acide oléanolique: mots nouveaux pour nous mais pas pour la biochimie. Le Ginseng a déjà ses fidèles, ses savants et ses adeptes. Parmi les chercheurs citons le pharmacologue japonais Shoji Shibata: c'est à lui que revient le mérite d'avoir éclairci la structure chimique des principales substances actives que contient la «racine de vie».

Le Professeur Pier Gildo Bianchi, célébrité italienne de la médecine interne, commente ainsi l'arrivée du Ginseng dans nos pays: «Il n'est pas douteux que la pharmacologie occidentale reconnaît depuis longtemps l'utilité de diverses plantes médicinales de Chine ou, en tout cas, d'Extrême-Orient, comme la rhubarbe, le camphre, le jasmin... Il n'est donc pas étrange que le fabuleux Ginseng trouve sa juste reconnaissance et son application «correcte» dans le domaine thérapeutique». A cet égard, nous renvoyons le lecteur au volume du présent ouvrage, *Vivre avec les plantes*.

S'il vient pour soulager les maux, calmer nos inquiétudes et nous rajeunir: bienvenue au Ginseng en Europe. Du fait d'une cueillette intensive, le Ginseng, qui est une plante ressemblant au lierre, est maintenant cultivé industriellement en Corée et au Japon. Il existe même en Amérique une espèce, le *Panax quinquefolius*, qui possède les mêmes propriétés.

GIROFLE
Eugenia caryophyllata
famille des Myrtacées

C'est un arbre haut de 10 à 12 mètres environ, ce n'est donc pas une plante au sens courant du terme. Nous le rappelons ici, toutefois, bien qu'il soit cité dans le tome I, en phytothérapie. Ce qui nous intéresse véritablement ce sont les fleurs non ouvertes qui portent fort justement le nom de «clou de girofle». Leur arôme est caractéristique, connu parmi les épices pour l'emploi qu'on en fait en cuisine; il sert aussi pour des drogues stimulantes, stomachiques, et qui activent la digestion.

L'arbre qui les produit est cultivé à Zanzibar (premier pays exportateur dans le monde), aux Indes orientales, à Madagascar, dans les Amériques.

GRATIOLE
Gratiola officinalis
famille des Scrofulariacées

Nous nous trouvons face à une énigme thérapeutique: la Gratiole nous délivre de nos souffrances, mais
comment? En nous faisant vivre ou en nous faisant
mourir?

La Gratiole, ou «herbe des miracles et de la mort»,
ainsi appelée pour les qualités exceptionnelles dont
elle est et a toujours été pourvue, a pour véritable
nom botanique *Gratia Dei*: d'où la dérivation de
Gratiola officinalis.

L'herbe en question vit en Europe centrale et méridionale, en Asie occidentale et dans le sud de l'Amérique du Nord. Ne figurant dans aucun des ouvrages
botaniques ou médicaux de l'Antiquité, nous en
concluons qu'elle n'a été reconnue qu'après la Renaissance, car elle n'apparaît pour la première fois qu'en
1536 dans l'*Herbolario vulgare*, imprimé à Venise et
traduit du latin.

Il s'agit d'une plante herbacée persistante, pourvue
d'une racine horizontale rampante et d'une tige rigide,
fistuleuse, de 2 à 6 centimètres de hauteur. La fleur
est axillaire, solitaire, la corolle blanc rosé; le limbe de
cette dernière est presque bilabié, à lobe supérieur
plus large. Pour ceux qui voudraient en savoir plus,
nous dirons que la fleur est pourvue de 4 étamines
insérées dans le tube de la corolle; que le fruit est une
capsule dont la base est persistante sur le style; que les
graines sont rugueuses, très petites. Il vaut mieux
savoir tout de suite que la Gratiole a un goût amer,

qu'elle peut purger violemment et provoquer l'évacuation de la bile et des mucosités en un temps record. Pilée et appliquée sur les plaies, elle les fait guérir très rapidement. Aux XVIe et XVIIe siècles, on l'a employée comme médicament, ce qui a donné des résultats surprenants et des décès tout aussi surprenants. Au début du XIXe siècle, ce «remède» fut estimé «héroïque» et par conséquent abandonné par la thérapeutique en raison des risques très graves que son usage pouvait faire courir.

Chassée par la porte, la Gratiole entra en pharmacie par la fenêtre. Nous sommes à la moitié du XIXe siècle, lorsque Cazin la réhabilite.

Que contient donc cette plante herbacée si discutée? Outre le tannin, l'acide malique, des sels de potassium et de calcium, outre la pectine, une résine de couleur brune et une huile grasse, on a pu isoler dans les extraits de cette plante, une substance de couleur blanche, amère, presque insoluble dans l'eau froide et que l'on a appelée la gratioline. La gratioline est une substance étrange: chez l'homme sain elle entraîne de curieuses altérations de la vue, provoquant en particulier la vision en vert. Employée en lavages, elle peut conduire à la nymphomanie. Il semble que la gratioline soit aussi la cause de graves irritations gastro-intestinales. Enfin, les reins, le cœur, les poumons ne la supportent pas.

Voici tout le mal qu'on en disait, mais avant Cazin. Cet auteur dit avoir utilisé la Gratiole dans quelques cas d'hydropisie, soit sous forme d'infusion aqueuse, soit sous forme d'infusion, dans le vin, de racines et de feuilles, avec des résultats surprenants. Cazin dit en

Medica

La luzerne, medicago, *plante fourragère très nutritive, a des petites fleurs violacées réunies en grappes.*

outre avoir vu des charlatans utiliser à fortes doses, et avec succès, la Gratiole contre l'hydropisie sur des malades qui avaient été rationnellement traités mais en vain avec d'autres médicaments. Un siècle plus tard, un autre médecin, Hanin, déclarera avoir connu un herboriste parisien qui prescrivait cette même herbe pour la même maladie, toujours avec succès. La polémique dure encore.

Nous dirons que cette plante est très répandue dans les lieux humides.

Le problème que pose son emploi thérapeutique reste sans solution. Au cours de ces dernières années, la Gratiole a été utilisée pour soigner de très graves maladies qui ont guéri.

GROSEILLIER NOIR
famille des Grossulariacées.

Parmi le peuple des herbes, le Groseillier noir ou Cassis fait figure de grand consolateur des peines... enfantines. C'est là en effet que les tout-petits vont parfois se réfugier, sous ses branches d'où émane une forte odeur. Le Cassis aime les lieux boisés et pierreux des Alpes et des Apennins, mais aussi les jardins où il se plaît au pied des murs.

Vous trouverez à la page suivante le Groseillier rouge; on n'a jamais compris si les deux, le noir et le rouge, sont frères, ou cousins, ou seulement homonymes et rien d'autre. Certains botanistes rangent le premier dans la famille des Grossulariacées; l'autre, le rouge, dans la famille des Saxifragacées. Donc, ils ne seraient en rien parents; et puis, du reste, comment pourraient-ils l'être? L'un est noir et l'autre est rouge...

Mais il existe d'autres botanistes qui associent les deux Groseilliers au sein de la même famille des Saxifragacées, ce qui laisse supposer qu'on les considère comme étant voisins.

Le Groseillier noir se présente sous la forme d'arbustes à feuilles caduques, alternes, habituellement aussi larges que longues, et surtout découpées en lobes aigus ou obtus, à petites feuilles régulières, verdâtres et rougeâtres à 5 sépales... Bref, c'est une plante originaire de l'Europe centrale et orientale. Quant au Groseillier rouge, tournez la page et vous trouverez la description de ses caractéristiques.

Naturellement — toujours pour le Cassis — nous passerons sur ses propriétés thérapeutiques dont nous avons parlé à propos d'infusions et de décoctions; ajoutons seulement que, pour son usage médicinal, le séchage doit être rapide, fait au grenier, sur des claies bien aérées.

Le saviez-vous?

Le Groseillier noir jouissait d'une excellente réputation au début du XVIIIe siècle, plus précisément comme élixir de longue vie.

GROSEILLIER ROUGE
famille des Saxifragacées

...famille supposée, vous avez lu ce que nous avons dit plus haut. Quoi qu'il en soit, voici son signalement: il a presque 2 mètres de hauteur, il pousse spontanément dans les zones pierreuses des plateaux et souvent on le cultive; ses fruits sont des baies rouges, réunies en grappes; mais sur les plantes cultivées, elles peuvent être aussi blanches et jaunâtres. Très belles à voir, on a envie de les cueillir, car elles ressemblent au raisin.

GUI
Viscum album
famille des Loranthacées

Le Gui vit en exploitant son prochain.

Avant de dire comment, parlons de cette plante parasite qui vit... là où elle peut exploiter: sur diverses rosacées ligneuses, sur les peupliers, sur les érables, sur les conifères, etc. Il s'agit d'un arbuste ramifié qui se fixe dans la plante en perçant son écorce et en s'enracinant fortement dans l'épaisseur du bois. Il a des branches cylindriques à écorce vert jaunâtre, des feuilles coriaces, groupées par deux et persistantes, de petites fleurs jaunâtres réunies en rubans terminaux; ses baies contiennent une substance gélatineuse. Le Gui est fréquent en montagne. On le cueille en grande quantité pour le consommer en fin d'année... à titre décoratif comme plante de vœux. Cela vaut aussi la peine que l'on signale ses utilisations en médecine. On prescrit le Gui comme antispasmodique et hypotenseur, pour les toux convulsives, la goutte, l'œdème, les engorgements lymphatiques.

Voyons maintenant le mécanisme de survie de l'espèce. Les baies rondes du Gui sont un aliment savoureux pour les petits oiseaux ignorants qui, dès qu'ils les aperçoivent d'en haut, descendent, picorent, les mangent. Les graines retomberont sur la terre en même temps que les excréments. Là, elles sont condamnées à mort par stérilité, à moins que...

A moins que cette graine ne tombe sur quelque branche d'arbre; alors elle commence à germer en émettant un filament qui, au contact de l'écorce de la branche qui la reçoit, y adhère, s'y étale avec un disque de gomme. Du centre du disque naît un nouveau filament allongé, une sorte d'aiguille qui pénètre dans les tissus sous-jacent de la branche. A ce moment, le Gui a désormais assuré sa propre existence. Il se développe en exploitant la branche et par conséquent l'arbre qui la soutient, il émet des rameaux, des fleurs, des feuilles et des fruits. L'aiguille plantée dans les tissus de la victime s'allonge chaque année, au fur et à mesure que la branche de l'arbre pousse. Il y est, il y reste, toujours plus fort, toujours plus vigoureux. Comme on le voit, l'exploitation par le Gui est une œuvre de longue haleine. Ce parasite donne des feuilles luxuriantes, fleurit régulièrement au printemps, et ses fruits mûrissent régulièrement. C'est un défi à la nature, et ce n'est pas fini. Autour du premier, voici d'autres filaments: ils partent, se ramifient sur d'autres parties de la branche, donnent naissance à de nouvelles pousses, donc à de nouvelles vies, donc à de nouveaux Guis.

Ainsi, peu à peu, le Gui exploiteur se substitue aux feuilles et aux branches de sa proie; avec ses ramifications parasites, il finit par sucer directement l'aliment provenant des racines et de l'arbre. Il vivra de plus en plus triomphant, de plus en plus arrogant. Qu'a-t-il à lui? Rien, en dehors de la nutrition de ses feuilles vertes par la chlorophylle.

Le saviez-vous?

Le Gui s'est compromis avec la magie. D'après les Anciens et à des fins magiques, le Gui devait être exclusivement taillé avec une lame en or consacrée suivant un rituel déterminé. Certains occultistes enseignaient cependant à tronquer la branche du Gui avec les mains, à condition qu'elles aient été lavées dans l'eau courante d'un fossé ou d'un ruisseau, puis séchées à l'air pour les maintenir pures.

Saviez-vous encore qu'on attribue au Gui, comme talisman, des propriétés miraculeuses? Lesquelles? Celles d'assurer la fortune, l'amour, la gloire. Mais sachez que, pour avoir ces «propriétés», le «talisman» doit être formé de trois graines de Gui entourées d'or.

GUIMAUVE ou ALTHÉE
Althea officinalis
famille des Malvacées

La Guimauve est une plante vivace, très robuste, qui préfère vivre dans les terres humides de l'Europe centrale et méridionale (on la rencontre en France sur le littoral méditerranéen, ainsi qu'en Vendée et dans les Deux-Sèvres). Sa tige est cylindrique, robuste et recouverte d'un velouté vert rougeâtre. La hauteur de cette plante atteint facilement 1 mètre. Ses feuilles sont velues et douces au toucher, ses fleurs sont rosées et souvent réunies 3 par 3 à l'aisselle des feuilles. La caractéristique curieuse qui distingue la Guimauve des autres malvacées réside dans la forme du petit calice formé de 7 à 9 bractées étroites ; tandis que celui des autres malvacées est en général formé de 3 bractées complètement séparées ou par 6, 9 bractées plus ou moins réunies à la base. La période de floraison se situe en été. Si l'on veut en semer pour enrichir le jardin, il faut recueillir les graines à la maturation sur les plantes sauvages, elle se multipliera en semis printanier et on les transplantera, en automne, ou au printemps suivant.

Le saviez-vous ?

La Guimauve de Narbonne (*Althea narbonensis*) contient des fibres qui conviennent à la fabrication du papier. La Guimauve officinale a aussi ces propriétés, mais ses fibres sont moins longues. Fausto Coppi, le prestigieux coureur cycliste italien, faisait un grand usage de la racine de Guimauve.

HADENIA

Vous nous demanderez sans doute son nom scientifique, sa famille. Disons sommairement que nous avons trouvé la trace de cette plante dans un vieux journal et que nous vous communiquons l'information telle quelle.

Donc, elle s'appelle Hadenia, elle a été découverte il y a trente ans sur les rives du fleuve Limpopo dans le Transvaal par deux toxicologues de l'Université d'Oslo. L'analyse chimique des sucs lymphatiques de la Hadenia, plante de quelques centimètres de hauteur, à fleurs d'un rouge rubis, a permis de découvrir des disques microscopiques, de 200 à 300 000 par millimètre cube, composant un poison dont le pouvoir toxique, au dire des deux chercheurs norvégiens, est 5000 fois supérieur à celui de la strychnine.

HENNÉ
Lawsonia alba
famille des Borraginacées

Henné, de l'arabe *Hanna*. L'arbuste, aux fleurs odorantes, est en effet typique de l'Arabie. A l'époque des Romains qui l'avaient importé du désert, on en tirait une teinture rouge pour les cheveux et les lèvres.

Signalons le caractère odorant de cette plante. Les matrones de Rome se parfumaient avec cette borraginacée. Soulignons surtout son caractère cosmétique: les belles dames de la Rome antique avaient coutume de s'en colorer les ongles.

A ce propos, nous ferons un petit exposé sur l'art du maquillage et de l'esthétique dans le monde féminin romain. Cet art est aussi vieux que le monde; mais nous supposons que la première à l'avoir cultivé fut Ève, cette étrange créature qui, dans les fleurs et les parfums naturels de l'Eden, cherchait une aide qui lui permette avant tout de conserver et d'accroître sa beauté. Cette coquetterie nous paraît bien inutile. Quel besoin avait Ève de se maquiller, alors qu'Adam était le seul homme. Mais allons à Rome, dans la

Rome impériale. Dans les maisons patriciennes et dans celles des classes aisées, des pièces étaient réservées à la toilette et à la coiffure quotidienne des nobles. Là, les *cosmetae*, esclaves expertes dans l'art du maquillage, soignaient la beauté des *dominae*, des dames, alternant savamment des onguents, des parfums, des odeurs diverses. Les *cosmetae* étaient de véritables artistes: très appréciées, elles étaient souvent d'origine orientale et on les achetait sur les marchés aux esclaves pour des sommes fabuleuses. Les *cosmetae* parfumaient les cheveux avec des eaux odorantes, enduisaient le corps de crèmes et le massaient, offraient pour les bains des savonnettes délicates et suaves, et avaient pour devoir, le soir, de vaporiser des essences appréciées sur l'épiderme des matrones.

Venaient ensuite les *ornatrices*: celles-ci avaient pour tâche principale d'orner les cheveux, après les avoir peignés, coiffés et assouplis avec des parfums et des onguents. Il y avait encore une catégorie d'esclaves aux fonctions très spéciales: elles avaient en effet pour mission d'«aduler et de louer la *pulchritudo dominica* pendant et après la toilette»; on les disait *parasitae* parce que leur tâche consistait, outre à louer, à assister au maquillage de la *domina*. Elles donnaient aussi leur jugement sur l'élégance de leur maîtresse et, lorsqu'elles étaient futées, ne cessaient d'en exalter les qualités physiques et le bon goût. C'était en somme des adulatrices à gages. Il faut dire cependant que lorsque les *cosmetae* et les *ornatrices* faisaient preuve de négligence dans leurs soins de beauté ou dans leurs louanges à la patronne, elles le payaient par des coups d'épingle sur les cuisses, les bras et les seins qu'à cet effet, elles laissaient découverts.

Les *cosmetae* en particulier, et les *ornatrices* en général, étaient très familiarisées avec le Henné.

HOUBLON GRIMPANT
Humulus lupulus
famille des Urticacées

En Italie, on le trouve dans les bois et dans les haies: c'est une plante herbacée à feuillage persistant, à longue tige qui s'accroche à des supports au moyen de crampons émis par l'écorce. Voilà pourquoi cette urticacée a un faible pour les haies. Les feuilles sont opposées, lobées, rêches.

Si vous voulez le manger, vous n'avez qu'à le chercher au printemps; ce sont les bourgeons que l'on consomme, comme pour les asperges.

Quant à la floraison, elle s'épanouit de juillet à août. Le Houblon, ou plutôt certaines variétés, est un ami de la bière: en effet, il sert à aromatiser cette boisson. Évidemment, on le cultive beaucoup en Allemagne et dans d'autres pays nordiques. On y utilise aussi les fibres de la tige à des fins textiles, pour en faire des cordes, des sacs, etc.

HYSOPE
Hyssopus officinalis
de la famille des Labiacées

Cueillez les sommités fleuries, si possible en début de floraison; faites-les immédiatement sécher dans le grenier. Vous constaterez que le parfum de la plante s'atténue avec le séchage, mais que ses qualités par contre persistent avec le temps. Il suffira de prendre la précaution de les conserver à l'abri de l'air et de l'humidité. Ses propriétés, comme vous le savez sans doute, intéressent la gorge. C'est un remède infaillible contre les inflammations des amygdales.

L'Hysope a toujours joui d'une grande considération auprès des Anciens qui, en un sens, le considéraient comme une sorte d'herbe sacrée. Il poussait et il pousse naturellement encore dans les lieux pierreux.

Il n'est pas difficile de le reconnaître, surtout à son odeur qui est intense, à son aspect qui est broussailleux, à ses fleurs qui sont blanches, petites, groupées en épis, à ses feuilles qui sont étroites, tantôt vertes tantôt blanchâtres.

IRIS
Iris germanica
famille des Iridacées

Appelé aussi Iris de Florence ou Glaïeul bleu, l'Iris est une plante herbacée vivace. Il peut atteindre 1 mètre à 1,50 m de haut. Il possède un gros rhizome horizontal, d'où sortent des feuilles verticales en forme de glaive réunies en touffes. Du milieu de ces touffes jaillissent les fleurs caractéristiques de l'Iris. Très connue dans toute la France, cette plante pousse spontanément sur les rochers, les vieux murs et dans les décombres. On la choisit aussi pour la vivacité de coloris de ses fleurs qui s'épanouissent de juin à août, dans les jardins.

L'Iris est une plante que les mages considéraient comme liée à la Lune et, comme telle, les Anciens en faisaient le symbole de la paix et de la tranquillité. Toujours selon les Anciens, elle présidait au sommeil. Mais attention à ses exhalaisons nocturnes; ne dit-on pas qu'elles provoquent l'angoisse et quelquefois la mort!

Le saviez-vous?

Saviez-vous que pour parfumer agréablement votre linge, il suffit de mettre dans vos armoires quelques morceaux de racines d'Iris?

IVE
Achillea herba-rota
famille des Labiacées

L'Ive (ou petit If ou Ivette) est une vieille connaissance des vaches; nous voulons dire qu'elle est typique des hauts pâturages: elle pousse sur les terrains rocheux alpins.

Il s'agit d'une herbe persistante, que les vaches... et les hommes aussi reconnaissent facilement à ses touffes serrées, à ses feuilles alternes d'un vert vif en forme de lance, à ses fleurs blanches. L'Ive se reconnaît aussi à son odeur fortement aromatique.

Les parties vertes fleuries, qui sont celles que l'on utilise, se récoltent de juillet à septembre. On en fait des tisanes ou des infusions, lesquelles accordent le sommeil. A l'état naturel, l'Ive enrichit le fourrage des animaux. Ses effets ne sont pas seulement bénéfiques aux animaux: l'Ive entre en effet aussi dans la composition de vermouths, de bitters et de liqueurs à base d'herbes des Alpes.

JUSQUIAME NOIRE
Hyoscyamus niger
famille des Solanacées

Plante très ancienne, associée à tous les mystères et à toutes les magies, la Jusquiame était connue de Dioscoride, le célèbre médecin grec du Iᵉʳ siècle ap. J.-C., pour ses propriétés thérapeutiques. La Jusquiame est en effet antispasmodique, elle combat l'excitation motrice de certaines formes morbides comme le *delirium tremens* et, à sa manière, c'est aussi un calmant, indiqué par exemple pour combattre l'insomnie.

C'est une solanacée très vénéneuse, d'une odeur très désagréable. La Jusquiame pousse spontanément dans les terrains incultes et arides. Les fleurs sont jaunâtres, veinées de noir et de violet; les fruits, à capsule, contiennent de nombreuses semences.

La médecine se sert de cette solanacée, elle en a même imposé la culture, à partir du moment où la production spontanée est devenue insuffisante pour la consommation. Comment? Ensemençons en serre à l'automne, repiquons en pleine terre au printemps. Cueillette: au moment de la floraison, de mai à juillet; on récolte les plantes entières et on les fait sécher à l'ombre, dans des locaux bien aérés. Les herboristes conseillent de faire sécher les plus grandes feuilles à part.

La Jusquiame, entrée de force dans la pharmacopée européenne tout au début du XIXe siècle, contient les principes actifs suivants: scopolamine, jusciamine et de petites quantités d'atropine.

Le saviez-vous?

La Jusquiame est la plante magique de Jupiter. C'est pour cela qu'elle inculque sagesse, prospérité et perspicacité. Pour obtenir ces effets, disent les spécialistes, elle doit agir le jeudi.

Savez-vous que Dioscoride, en mentionnant les diverses propriétés de cette plante, indiquait aussi qu'elle pouvait provoquer des visions de lutins et de diables exécutant une danse macabre? Les incrédules, les timides et les courageux, sous l'effet de ses alcaloïdes (la jusciamine) tombaient dans un lourd et profond sommeil, troublé par des scènes terrifiantes. Le réveil était angoissé, l'esprit encore bouleversé par ces visions infernales. En outre, les potions de Jusquiame provoquent des troubles de la vision: scintillements et lueurs appelés «pluie d'or».

Savez-vous qu'aux condamnés à mort on administrait des potions de Jusquiame pour atténuer les tourments de l'exécution?

LAITUE
Lactuca sativa
famille des Composées.

On suppose qu'il y a environ 140 variétés de Laitues cultivées et sauvages. Son nom dérive du suc blanc et laiteux qui s'écoule lorsqu'on pratique des incisions sur la tige en période de floraison. Déjà connue aux temps d'Ovide et de Martial, cette plante herbacée était consommée le soir par le vieux Galien pour lui assurer un sommeil paisible. Pline nous dit qu'elle est un anaphrodisiaque et qu'elle soigne aussi la blennorragie.

Il est impossible de faire ici une description analytique des caractéristiques qui différencient une variété de Laitue d'une autre. Nous nous contenterons de dire que certaines Laitues prennent naturellement en poussant une forme pommée, d'autres comme la «romaine» ont besoin d'être transplantées et liées pour se développer en hauteur. Nous pouvons dire en outre que l'odeur de la Laitue est forte, amère, que la plus douce est la Laitue de printemps aux feuilles blanc-vert. En ce qui concerne le lait blanc ou mieux le *lactucarium* contenu dans cette plante herbacée, on peut affirmer avec certitude qu'il constitue un excellent remède contre l'insomnie et les toux persistantes et qu'on l'emploie dans la fabrication de savons de toilette.

LANTANIER
Viburnum lantana
famille des Caprifoliacées

Le Lantanier ou Lantana est un arbrisseau à feuilles velues qui vit dans les taillis aérés, bien exposés au soleil, dans le maquis et les pâturages des collines et de l'étage subalpin.

Rappelons les propriétés thérapeutiques pour lesquelles il a été cité en phytothérapie: astringentes, désinfectantes, antiseptiques (gargarismes dans le traitement de l'amygdalite, rinçages pour tonifier les gencives, etc.)

LAURIER-SAUCE
Laurus nobilis
famille des Lauracées

Nous sommes en face d'un arbre à feuillage persistant que nous ne faisons que rappeler ici car il est cité au tome I.

D'un vert sombre, ayant tendance à former de gros buissons, il peut atteindre jusqu'à 10 m de haut. Son tronc est dur, robuste, ses fleurs, petites et verdâtres, ses fruits de couleur bleu noirâtre.

Le Laurier-sauce a des ascendances divines: c'était l'arbre consacré à Apollon, dieu des Arts et du Soleil. Dans l'Antiquité, chez les Romains, c'était le symbole de la plus haute distinction honorifique: on en ceignait le front des consuls victorieux, des orgueilleux empereurs, des héros valeureux. Plus tard, on fit de même pour les poètes.

De ses propriétés médicamenteuses nous avons déjà parlé. Nous dirons en outre que, de nos jours, on ne trouve plus de Laurier sur le front des poètes et des tout-puissants, mais dans les potages. Dans le classique bouquet garni, il joue un rôle de premier plan. A la campagne, on l'utilise pour fumer les jambons. Nous n'oublierons pas que le Laurier est un excellent antiseptique: jadis, aux époques de grandes épidémies, on brûlait du Laurier pour éloigner les miasmes environnants. Le Laurier a les vertus du thym, de la sauge et du romarin; il a en plus la grandeur, nous voulons dire le volume: pour la même flambée, là où il faut plusieurs touffes de thym, il suffit d'une grosse branche de Laurier.

Le saviez-vous?

On utilise le Laurier à doses homéopathiques contre la toux, les palpitations, les douleurs d'estomac, les vomissements. Vous savez, sans doute, que le mot «lauréat» vient de Laurier: on couronnait ainsi celui qui avait accompli un certain cycle d'études.

LAVANDES
Lavandulae
famille des Labiacées

Nous dirons tout de suite qu'il existe trois qualités de lavande: la Lavande officinale (*Lavandula officinalis*), l'Aspic (*Lavandula latifolia*) et la Lavande stoechas (*Lavandula stoechas*).

Toutes trois font partie de la famille des Labiacées. La Lavande officinale ou commune est la plus connue, sans aucun doute la plus utilisée pour son essence et pour ses propriétés médicinales. Elle est très répandue dans les zones rupestres arides, dans les terrains calcaires et ensoleillés, près de la mer, en colline. Sa hauteur varie entre 30 et 70 centimètres: elle se présente en pelotons serrés ou plutôt en buissons ordonnés. Les fleurs ont une petite corolle et sont de couleur bleu violacé; la Lavande officinale se reconnaît facilement.

L'Aspic a une essence plus forte que celle de la Lavande officinale: les parfumeurs, les fabricants de savon s'en servent, ainsi que les vétérinaires pour soigner la maladie du sabot des chevaux. Les peintres de la Renaissance s'en servaient comme diluant.

Quant à la Lavande stoechas, nous dirons que son parfum est intense, très agréable, mais qu'il étourdit un peu. La période idéale pour la cueillette des deux types de Lavande, l'officinale et l'Aspic, va de juin à septembre et juillet et août; les deux mois les plus chauds sont particulièrement indiqués. On utilise exclusivement les fleurs qui doivent être cueillies de préférence dans la soirée, la qualité de l'essence étant la meilleure à ce moment-là. On doit ensuite faire sécher les fleurs en plein air, mais absolument à l'abri du soleil. Pour la conservation, il est conseillé d'utiliser des récipients en tôle à tenir au frais.

Comment préparer la célèbre lavande? C'est extrêmement simple, il suffit de faire bouillir 50 grammes de fleurs dans 1 litre d'eau bouillante et de les laisser infuser pendant dix minutes environ. Mais ce qui vous intéresse surtout, c'est sans aucun doute la manière d'obtenir l'«eau de lavande». Là encore, c'est simple, à condition que l'on soit patient. Prendre 60 grammes de fleurs fraîches et les faire macérer dans 1 litre d'alcool à 32° pendant un mois, après quoi on a la célèbre «eau» si parfumée.

LICHEN
Cetraria
famille des Thallophytes

Il existe diverses espèces de Lichen: ceux qui poussent sur les roches du Sahara, ceux qui aiment mieux la très froide Sibérie ou le Groenland, ou d'autres qui préfèrent s'accrocher aux volcans, par exemple l'Etna. Cet organisme végétal étant cryptogame, c'est-à-dire ne possédant ni racines, ni tiges, ni fleurs, est donc sec et coriace. Le Lichen le plus connu est celui qui croît spontanément dans les régions arctiques où les populations les plus pauvres l'utilisent comme aliment. En Europe, il pousse sur les vieux chênes, les peupliers et les conifères. Ce végétal de petite taille se présente comme une incrustation verdâtre ou jaune; observé au microscope, il laisse voir des couches corticales de filament incolores riches en cellules vertes.

Le Lichen, considéré comme une plante «saturnienne» prédisposerait à la solitude et à la méditation. Les experts en magie estiment en effet que le Lichen est maléfique pour tout ce qui concerne les rapports sociaux...

LIERRE
Hedera helix
famille des Araliacées

Le Lierre par excellence est celui qu'on appelle communément «grimpant».

C'est une plante herbacée composée de longs rameaux ligneux et noueux qui, au moyen de racines adventices ou «crampons» s'agrippent aux supports offerts le plus souvent par les murs. Ce Lierre est facilement reconnaissable; toutefois, disons que sa particularité est d'avoir des feuilles de deux types: celles

des rameaux stériles ont une forme palmée et celles
des rameaux fertiles sont au contraire pleines et ovales. Quant aux fleurs, elles sont verdâtres, disposées
en petites ombelles qui forment de gros épis (ou panicules); les fruits sont de petites baies noires. Le
Lierre pousse partout où il trouve un support pour
ses crampons. Il nous faut dire cependant qu'il existe
une autre espèce de Lierre, appelée celle-là Lierre terrestre (*Glechoma hederacea*), de la famille des Labiées.
Le Lierre terrestre fleurit en automne et donne des
fruits au printemps. On l'appelle aussi zondote, herbe
du bonhomme ou encore herbe de Saint-Jean, bien
que, chose étrange, il est fort rare de le trouver encore
en fleur à l'époque du solstice.

Le saviez-vous?

Saviez-vous qu'avec une décoction de Lierre terrestre on soignait les personnes atteintes de folie?
Comment? On imprégnait des feuilles de papier
buvard de sa décoction et l'on appliquait ces feuilles
sur le front des pauvres déments.

Saviez-vous que le suc de Lierre servait jadis aux
dames à se teindre les cheveux en noir?

Saviez-vous qu'avec une décoction de Lierre (terrestre ou grimpant) on peut détacher et laver des vêtements sombres sans leur faire perdre leur couleur?

Saviez-vous qu'on peut raviver les couleurs de tissus de soie en utilisant dans l'eau de lavage de l'eau de
Lierre (terrestre ou grimpant)?

Saviez-vous que des milliers, des centaines de milliers et probablement plusieurs millions de petits oiseaux doivent la vie et la tranquillité «domestique» au Lierre? Les oiseaux ont découvert depuis long-temps que les feuilles nombreuses et persistantes du Lierre constituent un excellent refuge contre les intempéries quand tous les autres arbres ont déjà perdu leurs feuilles.

Saviez-vous qu'en période de disette, les oiseaux se rabattent sur les fruits du Lierre dont ils nourrissent leurs petits à la fin de l'hiver? Mais aussi, hélas! que ces mêmes fruits, très toxiques, ont souvent causé la mort d'enfants imprudents?

Saviez-vous que même les abeilles aiment les fleurs vertes du Lierre, riches en pollen?

Passons aux moutons et aux chèvres: savez-vous qu'ils broutent volontiers du Lierre? Et que les lapins et les chiens en revanche s'en méfient?

Enfin, saviez-vous que jadis on administrait aux vaches une brassée de Lierre pour faciliter leur vêlement?

LIN
Linum usitatissimum
famille des Linacées.

Il existe en fait une quinzaine d'espèces de Lin, aux fleurs de différentes couleurs. Celui auquel nous nous référons est une plante annuelle à fleurs bleues, de cinq sépales, cinq pétales, cinq étamines; son fruit est une capsule à plusieurs loges.

Contrairement aux autres plantes, le Lin ne vit pas

à l'état sauvage et on le cultive depuis des siècles. Les graines sont utilisées comme aliment et à des fins médicinales. L'huile de lin est connue depuis le Moyen Âge.

Le saviez-vous?

Saviez-vous que la toile de Lin est encore celle que les peintres préfèrent? Elle dure très longtemps.

L'huile de Lin des Anciens était cuite seule ou mélangée à de l'eau, jusqu'à ce qu'une gousse d'ail jetée dans le liquide ne soit plus grillée; après quoi, on l'exposait longtemps au soleil pour la laisser décanter: préparée ainsi, elle donnait à la peinture des tons plus brillants.

LIS BLANC
Lilium candidum
famille des Liliacées

La fleur de Lis — pour qui ne le saurait pas — est le symbole traditionnel de la pureté! Les spécialistes en astrologie la placent dans le domaine astral du Soleil. Le Lis, plutôt la fleur de Lis est utilisée en magie blanche pour éloigner les forces du mal.

Sa culture est fort répandue en France et en Italie, mais cette fleur délicate est originaire d'Asie occidentale. Sa carte d'identité est en gros: tige haute (jusqu'à 1 mètre) avec de nombreuses feuilles lancéolées, et se terminant en haut par une grappe de fleurs blanches, odorantes, pourvues de longues étamines.

Le Lis fleurit au plus fort de l'été. En médecine, comme on le sait, les pétales et les bulbes sont utilisés: cuits dans du lait, ils servent à préparer des cataplasmes émollients.

MAIS
Zea mais
famille des Graminées

Plante herbacée assez haute qui produit des caryopses blancs, jaunes ou rougeâtres assemblés en gros épis appelés panicules. Le Maïs est une plante annuelle, pouvant atteindre 2 mètres, à tiges hautes et pleines, à feuilles larges sur les bords et à fleurs monoïques.

Nous le connaissons tous plus ou moins. Il est bon de rappeler que cette plante vient de l'Amérique et plus précisément du Pérou et du Mexique où les conquistadores apprirent à la connaître et l'importèrent en Europe. Rappelons en outre que cette graminée est riche en vitamines B_1, B_2, A et PP.

MANDRAGORE
Mandraghola officinarum
famille des Solanacées

Grosses racines bipartites, tige très courte, feuilles pétiolées d'une jolie couleur verte, fleurs de couleur violacée, fruits jaunes... La Mandragore est une plante herbacée poursuivie depuis des siècles par la pire des réputations. Des sorcières et des jeteuses de sort se servaient des baies de cette solanacée pour préparer des narcotiques et des philtres d'amour. On croyait que ses infusions étaient utiles, entre autres, contre la stérilité (Théophraste, Pline). Pythagore estimait que ses racines rendaient invisible. On disait qu'elle procurait la volupté, qu'elle guérissait des infirmités, qu'elle portait chance dans les procès et les querelles: herbe magique par excellence...

Les légendes les plus sombres accompagnent l'histoire de cette plante: on lui attribuait la plus grande efficacité, surtout lorsqu'elle avait été cueillie sous la potence, aux pieds du pendu, mouillée d'une goutte de sperme émis dans les derniers spasmes de l'agonie.

Ce qui est caractéristique aussi, c'est la manière dont il fallait cueillir la Mandragore: elle ne devait pas être touchée par l'homme car, disait la légende, celui-ci serait mort foudroyé à l'instant même où il l'aurait

Mentha

Parmi les plantes, la menthe est sans nul doute l'une des plus cultivées, des plus utilisées, des plus exploitées.

déracinée... Il fallait alors l'attacher au moyen d'une corde au cou d'un chien noir: on incitait la bête à courir, la Mandragore était déracinée et le chien mourait. En même temps, l'homme devait sonner du cor pour ne pas entendre les cris que la plante poussait en se sentant arrachée du sol: ces cris, en effet, l'auraient fait mourir.

Il faut dire que la Mandragore rappelle vaguement, il est vrai, une forme humaine. Ainsi, on la considérait comme une amulette au pouvoir magique inégalable. On devait la garder jalousement dans un petit coffre, revêtue d'habits somptueux, et on lui donnait régulièrement à boire et à manger. Quand on croyait l'entendre pleurer — et il y a des témoins qui jurent l'avoir entendue gémir — cela annonçait de grands malheurs dans la famille.

En pharmacologie, on considérait que la Mandragore était une herbe dotée de pouvoirs aphrodisiaques; tel est en effet le propos de la comédie de Machiavel qui porte ce nom. Il semble cependant que son action principale soit anesthésique: accompagnée d'autres drogues, la Mandragore était administrée aux condamnés à mort.

Au dire des occultistes, les effets magiques de la Mandragore sont plus puissants que ceux de toutes les autres plantes. Les textes prétendent toutefois qu'il faut prendre certaines précautions rigoureuses; parmi celles-ci: ne jamais la toucher avec le fer et toujours la cueillir sous le vent. Quant à sa racine, on sait par d'anciens textes de magie que ses véritables effets magiques sont déterminés par la pâte obtenue après l'avoir broyée. Mais cela doit se pratiquer à certaines heures astrologiques, en certaines périodes de l'année, dans un mortier constitué de sept métaux, c'est-à-dire fait d'un alliage spécial, de fabrication très compliquée...

MARJOLAINE
Majorana hortensis
famille des Labiacées

La Marjolaine est une plante persistante, originaire de l'Europe et de l'Asie. Elle possède les mêmes propriétés que l'*Origanum vulgare*, que nous appelons communément origan, de la famille des Labiacées. Ces deux-là, dit-on, sont cousins germains. D'où les innombrables confusions que l'on fait entre l'une et l'autre plantes (voir aussi à Origan).

La Marjolaine est une plante à souche ligneuse, à fruits dressés, à feuilles ovales et fleurs en épillets. On la cultive couramment dans les jardins et sur les terrasses où elle fleurit en été.

MARRONNIER D'INDE
Aesculus hippocastanum
famille des Hippocastanacées

Le Marronnier d'Inde est originaire d'Asie. C'est un arbre de grande taille et c'est pourquoi on le cultive pour ombrager les parcs et les jardins. Les fruits, tout à fait semblables aux châtaignes, mais plus ronds, réduits en farine rendent la peau blanche et veloutée.

Les feuilles constituent d'excellents vaso-constricteurs des varices et sont efficaces, sous forme de décoction, contre la coqueluche des enfants.

Le saviez-vous?

On l'a appelé *Aesculus hippocastanum* parce que les Anciens croyaient qu'il guérissait tous les maux dont souffraient les chevaux.

Lorsqu'ils tombent des arbres en automne, ramassez ces marrons, faites-en un collier et suspendez-le dans vos armoires: ils éloigneront les mites de la laine.

Faites-les cuire et donnez-les à vos chevaux dans leur nourriture habituelle: leur poudre mélangée au fourrage guérit les coliques des chevaux.

MARRUBE BLANC
Marrubium vulgare
famille des Labiacées

Le Marrube blanc a une préférence pour les zones alpines. Voici son signalement: plante à tiges blanches, cotonneuses, à feuilles ovales irrégulièrement dentelées, blanchâtres sur la face inférieure et à fleurs blanches dotées d'un calice à 10 dents recourbées.

Période de floraison: printemps et été. Les feuilles et les sommités fleuries du Marrube doivent être cueillies au début de la floraison et séchées dans un grenier sur des claies. En 1804, Peyrilhe écrivait à propos du Marrube: «Plante excellente, trop peu utilisée... Je l'emploie toujours dans tous les cas où elle est indiquée: ce qui revient à dire qu'elle répond à mon attente. Les modernes ont tort de la négliger».

Le saviez-vous?

Cette plante est également appelée en Italie *erba apiola* parce que les abeilles la recherchent; c'est pourquoi de nombreux paysans et agriculteurs la font pousser près des ruches.

Éleveurs, écoutez ce que vous conseille Lemery contre la toux des chevaux: «Prenez du Marrube, broyez-le avec du sel, ajoutez-y de l'huile d'olive ou de noix, mélangez le tout avec du vin et donnez-le à boire au cheval».

Si le bœuf ne rumine plus, on prend des fleurs et des feuilles de Marrube, on y ajoute un peu de lard: on obtient ainsi une préparation qui, tiédie et administrée sous forme de pilules, permet au bœuf de recommencer à digérer tranquillement.

MAUVE
Malva silvestris
famille des Malvacées

Son nom signifie «mal va», c'est-à-dire: «mal qui me poursuit, va-t-en». La *Malva silvestris*, Mauve sauvage ou grande Mauve, pousse dans les terrains riches en nitrates, le long des sentiers et sur les terrains incultes.

C'est une plante bisannuelle, à fleurs de 2 ou 3 centimètres au maximum, de couleur rose violacé veiné de violet, à pétales trois ou quatre fois plus longs que le calice. Les feuilles palmilobées contiennent la fleur et s'ouvrent complètement lorsque celle-ci s'épanouit. La surface de cette plante est tantôt lisse, tantôt velue. Elle fleurit en été, de juin à août.

Il faut cependant faire attention: il existe en effet d'autres Mauves, comme la *Malva domestica* (Petite Mauve). Celle-ci se distingue de la *silvestris* par ses feuilles presque rondes, ses fleurs très pâles et sa tige latérale toujours couchée. Il existe encore l'*Alcea* à grandes fleurs roses d'environ 5 centimètres de largeur dont les feuilles inférieures sont à lobes larges et peu profonds et les feuilles supérieures à lobes étroits jusqu'à la base. Toutes ces Mauves sont cependant utilisées par la médecine à des fins thérapeutiques. En ce qui concerne la Mauve sauvage, il convient d'en cueillir les fleurs qui, comme nous l'avons déjà dit, sont de couleur rose ou violacée.

On doit les faire sécher rapidement dans un grenier chaud et sec et les conserver à l'abri de l'air et de la lumière. Une fois séchées, les fleurs de la Grande Mauve prendront une couleur bleue. Les feuilles doivent être cueillies un peu avant la floraison, séchées sur des claies et souvent retournées. Le ramassage des racines, lui, doit s'effectuer en plein hiver. Elles doivent être soigneusement nettoyées avant d'être séchées. Prenons garde qu'elles pourrissent facilement.

Le saviez-vous?

Horace nous apprend que les Romains consommaient de la Mauve en guise de légume.

Semée dans l'Antiquité autour des sépulcres, elle était propice aux âmes des défunts auxquels elle conférait la paix et la sérénité. Elle était en effet symbole de douceur.

MÉLISSE
Melissa officinalis
famille des Labiacées

Regardez-la: avec ses sommités fleuries, cette petite plante est très agréable à la vue. Originaire du sud de l'Europe, la Mélisse est amie des haies et des lieux ombragés. On la cultive aussi pour le doux parfum de citron qui émane de ses feuilles froissées. La Mélisse a une taille et un port bien à elle, encore qu'ils ne présentent rien d'impertinent. Nous avons mentionné son odeur de citron, c'est pour cette raison qu'on l'appelle aussi «citronnelle».

Récolte: la période idéale va de juin à août et prend fin en septembre, quand la plante a une odeur un peu désagréable. Comme nous l'avons dit, elle est très répandue dans toutes les régions d'Europe. Si vous voulez la cultiver il vous faudra planter des morceaux de racine au printemps et en automne. A part ses vertus thérapeutiques et la célèbre «eau de Mélisse des Carmes», nous vous signalons comme curiosité que les branches de cette plante, enfermées dans les

armoires, éloignent les parasites et parfument le linge.
Les fleurs en sont très recherchées par les abeilles et
donnent un miel excellent.

MENTHE
famille des Labiacées

Il existe diverses espèces de Menthe: la Menthe
aquatique (on la trouve dans les fossés et dans les
lieux humides); la Menthe à feuilles rondes (également dans les lieux humides); la Menthe des bois
(dans les haies, dans les champs et encore dans les
lieux humides); la Menthe verte, la Menthe Pouliot, la
Menthe des champs; il existe encore les Menthes
cultivées, parmi lesquelles la Menthe poivrée ou Menthe anglaise, etc. La Menthe est sans aucun doute la
plante la plus cultivée et la plus utilisée. Lieutaghi
écrit: «C'est le dernier des grands médicaments
d'autrefois, princesse détrônée qui ne garde plus pour
trésors que son nom et sa grâce et qui doit à son seul
parfum de ne pas être tombée dans l'oubli».

Dans les pays arabes, par exemple, les petits ânes
portent dans des hottes des bouquets de Menthe qui
parfument tous les marchés: la Menthe arrive et mouches et moustiques s'enfuient. En période de grande
chaleur, il n'est pas rare de voir les indigènes se promener avec de l'extrait de Menthe fraîche qu'ils respi-
rent à tout moment pour se rafraîchir. Mességué écrit:
«Un parfum de thé à la menthe émane des palais de
mosaïque et des plus simples demeures». Prudente et
sage mesure préventive. En effet, dans ces pays où

des épidémies dévastatrices se déclenchent encore, où la chaleur étouffante alimente et favorise l'invasion des microbes, la présence de la Menthe est une garantie de protection, car la Menthe est un antiseptique de premier choix (souvenez-vous, en période d'épidémie, les médecins du Moyen Age avaient l'habitude de visiter les pestiférés bien protégés par la Menthe). Autrefois, on en brûlait les tiges dans les lieux infestés par les puces.

Quant à la Menthe Pouliot, cette herbe était très utilisée dans les cérémonies pour son parfum propitiatoire.

Il faudrait encore parler des Menthes cultivées: vient en tête la Menthe poivrée, plante considérée comme un hybride de la Menthe aquatique et de la Menthe verte. Fait curieux, la Menthe poivrée a un parfum intense qui provoque sur la langue, lorsqu'on la mâche, une étrange sensation de brûlure suivie d'une sensation de froid. Toujours à propos de la Menthe poivrée, sachez que le Japon en cultive une sous-espèce qui contient 91% de menthol: on comprend que ce pays soit devenu le principal producteur mondial de cette substance. Mais apprenons qu'il faut environ une tonne de Menthe fraîche pour obtenir en gros deux kilos d'essence.

N'oublions pas enfin la Menthe verte. Elle vit, bien cultivée, dans de nombreux jardins où elle exhale un parfum doux et séduisant. La Menthe verte vit aussi en liberté, dans les lieux humides de montagne, où elle pousse spontanément. Soit dit en passant, la Menthe verte est la grande favorite des Américains qui la nomment *spearmint*.

Pour terminer, voici quelques curiosités pittoresques: Saviez-vous que la Menthe empêche le lait de cailler?

Que le lait de la vache qui a brouté de la Menthe n'est plus bon pour la fabrication du fromage?

Qu'il suffit de frotter les pommes avec le suc frais de cette petite plante pour les empêcher de pourrir?

Que pour retenir les pigeons chez eux, il suffit d'enduire de Menthe les entrées des pigeonniers?

Maintenant, la note de magie. Nous avons lu dans un livre que pour guérir un malade atteint de fièvre, il suffit de se rendre trois jours de suite, avant le lever du soleil, auprès d'une plante de Menthe, de déposer auprès d'elle du pain, ou du sel, ou du vin, ou encore du poivre et, en la saluant avec effusion, de lui faire savoir qu'elle sécherait lorsque la fièvre arriverait sur elle. La légende dit qu'après ce rite la Menthe sèche — en même temps que guérit le malade.

Enfin, saviez-vous que les souris ne supportent pas l'odeur de la Menthe? Quelques plantes en pot, placées dans les lieux infestés, éloigneront les rongeurs.

MILLEPERTUIS
Hypericum perforatum
famille des Hypéricacées

Signalement: plante droite, sans poils, de taille moyenne (elle dépasse rarement les 80 centimètres); tiges solides et ramifiées qui ont sur toute leur longueur deux lignes latérales saillantes; feuilles opposées, c'est-à-dire face à face, ovales, à points noirs sur les bords. Fleurs: nombreuses et de couleur jaune doré.

Le Millepertuis naît sur le bord des sentiers, dans les bois peu touffus, dans les prés secs, de la fin du printemps et pendant tous les mois chauds jusqu'à la fin de l'été. Le Millepertuis a également un habitat de luxe: dans les parcs où on le cultive, le bichonne, le cajole, le gâte. Cueillette: l'idéal serait le jour de la Saint-Jean, le 24 juin, et pour être plus précis, à midi sonnant. Attention! il ne doit pas pleuvoir. Et s'il pleut? Ajourner la cueillette et attendre une belle journée de soleil, de préférence toujours en juin.

Le séchage des sommités fleuries se fait dans le grenier, en guirlandes ou étendues sur des claies, de toute façon en un lieu abrité.

Le Millepertuis est également appelé «herbe à mille trous» à cause des petits points transparents sur ses feuilles qui ressemblent à des trous.

Le saviez-vous?

Saviez-vous que le Millepertuis, dont le parfum ressemble tant à celui de l'encens, était célèbre au Moyen Age sous le nom de *Fuga daemonorum* et servait à chasser les démons et les esprits des ténèbres? Le peuple l'appelait «Chasse-diable». Une maison avait-elle la réputation d'être maudite? On entrait, on brûlait du Millepertuis et les démons prenaient leurs jambes à leur cou.

MIMOSA
Mimus
famille des Légumineuses

Ce n'est pas du délicat Mimosa aux fleurs jaunes caractéristiques, semblables à des houppes soyeuses, que nous parlerons, mais du *Mimosa sensitiva*. Vous connaissez certainement cet arbuste aux gracieuses fleurs rouges ou violettes, appelé aussi Sensitive, parce que ses feuilles réagissent au toucher. Cette plante a fait l'objet, il y a quelque temps, d'une expérience réalisée à l'Université de Chicago.

Les chercheurs qui devaient déterminer si les «muscles des plantes», comme ceux des animaux, se renforçaient par des exercices réguliers, choisirent la Sensitive pour la faculté singulière que présentent ses feuilles de se replier lorsqu'on les touche et de s'ouvrir à nouveau dix, ou même quatorze minutes plus tard.

Certaines feuilles de cette légumineuse furent donc soumises à un «entraînement», d'autres non. Après trente jours d'exercice ininterrompu, de fermeture et d'ouverture, on a pu constater que les feuilles soumises à l'«exercice sportif» présentaient une force musculaire supérieure de 41% à celles restées inactives.

MYRTHE
Myrtus communis
famille des Myrtacées

Arbuste au feuillage persistant, aux feuilles ovales de couleur vert sombre et aux petites fleurs blanches.

Dans la Grèce Antique, le Myrte était le symbole magique de Vénus, d'où la propriété supposée de cette plante: elle conférerait une vertu bien rare, la charité et l'amour spirituel.

Le Myrte est également présent dans la tradition littéraire: il est le symbole de l'amour et de la poésie amoureuse.

Cet arbuste naît et pousse dans les régions méditerranéennes. Curieusement, son écorce rougeâtre devient verte en vieillissant, puis se fend.

Propriétés médicinales: les feuilles comme l'écorce contiennent du tannin et une huile essentielle composée surtout de myrtol (ce dernier s'utilise en parfumerie).

MORELLE NOIRE
Solanum nigrum
famille des Solanacées

La Morelle est une plante herbacée vivace; on la reconnaît à ses fleurs blanches et à ses baies noires. Où la trouver? En marchant à travers champs ou en furetant parmi les décombres.

Il n'y a pas grand-chose à dire sur cette plante dont un botaniste assurait que «son suc éloigne les rats de grande taille».

MYRTILLE
Vaccinium myrtillus
de la famille des Éricacées

Plante flexible, vivace, élégante même, de 30 à 40 centimètres de hauteur, à feuilles denticulées, à fleurs axillaires de couleur rouge et à baies bleutées. Où naît-elle? Dans les bois des Alpes, dans les régions montagneuses en général, toujours sur des terrains siliceux. C'est une joie de la rencontrer: on aime ses fruits bleus, doux et délicats. Ne les mangez pas un par un, disent ceux qui s'y connaissent, mais mâchez-en plusieurs et vous découvrirez une saveur agréable, entre le miel de mousse et de fougères.

Récolte: les feuilles devraient être cueillies au moment de la floraison, en mai. Le séchage est facile. Quant aux baies qu'il faut cueillir mûres en plein été, en fonction de l'altitude et des conditions saisonnières, on pourra en faire de la confiture ou du sirop. Au Canada, les paysans en produisent des confitures qu'ils font ensuite sécher au soleil ou au four et qu'ils conservent plusieurs années.

NÉNUPHAR BLANC
Nymphaea alba
famille des Nymphéacées

Il vit dans les fossés, à proximité des étangs; son rhizome baigne dans la vase, il naît, il vit et meurt dans la vase; il n'en est pas moins vrai que le Nénuphar blanc est tout simplement merveilleux. Ses feuilles larges, de couleur verte, sont en forme de cœur et soutenues par un pétiole juste assez long pour les faire affleurer à la surface de l'eau. Les fleurs, blanches et très parfumées, semblent flotter sur l'eau. Elles s'ouvrent lorsqu'elles sont attirées par les rayons du soleil pour ensuite se refermer et disparaître dans l'eau boueuse à son coucher. Le Nénuphar blanc est, pour les astrologues, la plante de la lune, car celle-ci, comme on le sait, gouverne les eaux et la végétation marécageuse et sous-marine. Suivant les occultistes, le Nénuphar, ou plus précisément son essence, est particulièrement favorable aux entreprises liées aux voyages — aux voyages de l'imagination qu'elle stimule fortement, en suscitant des songes et des visions. C'est pourquoi les occultistes le recommandent aux écrivains et aux poètes.

Distraits par la magie, nous avons oublié de citer les propriétés thérapeutiques de cette plante au feuillage persistant: les fleurs séchées possèdent un pouvoir narcotique (voilà pourquoi le nénuphar favorise les voyages de l'imagination), adoucissant et émollient; elles soignent les maladies des reins et de la vessie ainsi que la dysenterie.

NEPETA
Calamintha officinalis
famille des Labiacées

Le Nepeta est une plante herbacée qui pousse dans les lieux calcaires. On la trouve toujours dans des sites exposés au soleil. Caractéristiques: hauteur, 30 à 60 centimètres; feuilles rhomboïdales; pédoncules à 12 ou 15 fleurs à corolle bleutée. Si vous voulez la cueillir, attendez la floraison. Elle est conseillée pour combattre les crampes d'estomac, les difficultés de

Pyrethrum.

La main de l'homme place souvent les chrysanthèmes en ces lieux où
ses propriétés médicinales ne servent à rien...

respiration, les insomnies, les excitations nerveuses, etc.

Un spécialiste nous dit : « J'ai observé sur moi-même qu'une infusion forte de Nepeta pouvait avoir, sur un sujet nerveux, les effets excitants du café et du thé, principalement des palpitations et des insomnies ». Si vous devez l'utiliser, faites-le donc avec prudence.

OIGNON
Allium cepa
famille des Liliacées

Description éclair: bulbe arrondi ou aplati, formé d'écailles charnues; feuilles cylindriques et creuses.

On dit que les mages astronomes de l'antique Chaldée, tandis qu'ils scrutaient les profondeurs du ciel étoilé de l'inquiète Babylone, respiraient le parfum dégagé par des Oignons se consumant sur les braises ardentes des tripodes sacrés. Il paraît que le légume leur avait été offert par leurs voisins persans, à usage comestible; mais les Chaldéens, eux, avaient préféré le cultiver uniquement à destination de la magie où ils étaient passés maîtres. De Chaldée, l'Oignon est allé en Égypte, au temps des premières dynasties. Il paraît que les Égyptiens le considéraient comme «sacré», au point de lui attribuer des honneurs réservés habituellement aux divinités. En effet, ils lui attribuaient d'extraordinaires pouvoirs magiques, allant jusqu'à représenter cette plante dans les peintures funéraires des tombeaux et à le joindre aux aliments destinés à accompagner les momies dans leur long voyage dans l'au-delà. (Il existe encore, à Paris, une secte des adorateurs de l'Oignon.) La Chronique égyptienne, peut-être un peu plus prosaïque, elle, parle du «prix» de l'Oignon auquel, semble-t-il, était attribué une valeur commerciale d'autant plus élevée que sa saveur se révélait âcre: ce qui signifie que le peuple ne se limitait pas à l'adorer, mais encore, et volontiers, à le manger.

Puis arrivèrent les Romains. Gros mangeurs d'ail, ils ne dédaignaient pas l'Oignon, qu'ils mangeaient cru, imités en cela, quoique avec moins d'enthousiasme, par les Grecs.

Au Moyen Âge, l'Oignon eut son moment de célébrité: à une époque de mysticisme... et de grandes famines, les gens se jetaient sur l'Oignon avec avidité. Ce légume, avec son odeur intense, était considéré comme un aliment «fort», en mesure de redonner de la vitalité aux fatigués et aux faibles.

Du Moyen Age, l'Oignon passe à la Renaissance: et là commence son expansion dans l'Europe entière où il conquiert les tables de toutes les couches sociales.

En France, les cuisiniers s'emploient à fond à inventer des plats dans lesquels entre l'Oignon.

1492: découverte de l'Amérique. L'Oignon met plusieurs années à traverser l'Atlantique, mais une fois atteintes les rives du Nouveau Monde, il ne lui faut que quelques semaines pour se répandre dans toutes ses régions.

Le saviez-vous?

Les docteurs de l'Université de Newcastle ont affirmé que l'Oignon est très indiqué contre la thrombose coronarienne, maladie qui, ne l'oublions pas, fait des victimes partout. On en a eu la révélation d'une manière tout à fait fortuite. Les médecins anglais avaient constaté en effet que ce légume est un anticoagulant très puissant, après avoir appris que les palefreniers français soignaient à l'Oignon leurs chevaux souffrant d'embolie.

Saviez-vous que souvent les Oignons sont un préventif des maladies infectieuses des animaux d'écurie et de basse-cour?

Saviez-vous que, en frottant les cadres et les meubles dorés au suc d'Oignon (qui, par ailleurs, sert à nettoyer et à embellir les peintures à l'huile), vous éloignerez les mouches?

Saviez-vous qu'il existe une bonne cinquantaine d'espèces d'Oignon?

OLIVIER
Olea europaea
famille des Oléacées

On raconte beaucoup d'histoires sur l'origine de l'Olivier. On dit qu'il serait né en Asie Mineure, d'où il se serait étendu au Bassin méditerranéen. On affirme aussi que cet arbre est apparu sous le soleil de la Péninsule italienne où il est cultivé depuis l'époque de Tarquin l'Ancien. Arbre au feuillage persistant, il peut atteindre jusqu'à 15 mètres. Nous le mentionnons ici parce que nous en avons rappelé les propriétés thérapeutiques et les vertus culinaires dans nos deux autres volumes. Ses feuilles sont ovales, de couleur argentée au-dessous et vert foncé au-dessus. Le fruit se cueille entre septembre et novembre, suivant le climat. On le trouve dans le commerce sous diverses variétés et préparations. Ajoutons enfin que l'huile d'Olive est un emblème de paix et que les Anciens avaient consacré l'Olivier à Minerve.

ONONIS
Ononis repens
famille des Légumineuses

Signalement: petit arbuste à tige ligneuse, haut de 47 à 70 cm; branches dures et épineuses; feuilles dentelées et petites; on trouve l'Ononis dans les prés et sur le bord des routes. Vous le reconnaîtrez notamment à ses fleurs qui s'épanouissent de juin à septembre, rosées et blanchâtres, veinées de blanc; par leur forme, elles ressemblent à celles du petit pois, mais en plus réduit.

L'Ononis est appelé populairement «arrête-bœuf» (ou bugrame) à cause de sa racine très solide. La plante a une saveur amère astringente. On l'utilise en médecine pour ses propriétés diurétiques et pour combattre les calculs biliaires.

ORANGE
Citrus sinensis ou
Citrus aurantium
famille des Rutacées

L'Oranger, père de l'Orange, n'est certes pas une herbe. Rappelons ici toutefois le père et la fille, afin de rendre hommage à tous deux pour leurs propriétés phytothérapeutiques et nutritives.

Il s'agit d'un arbuste à feuillage persistant, dont la hauteur peut aller jusqu'à 5 mètres, aux feuilles dures, aux fleurs blanches et odorantes; originaire d'Indochine, il est maintenant répandu dans toutes les régions tempérées de notre planète. L'Oranger nous est arrivé en suivant probablement deux itinéraires. Le premier est la route des Arabes qui l'avaient trouvé au cours des pérégrinations de leurs caravanes en Extrême-Orient et l'avaient donc introduit au Moyen-Orient; de là les Chrétiens des Croisades l'apportèrent en Europe. Il y a ensuite la route génoise et vénitienne: il semble que ce furent ces navigateurs qui l'apportèrent de Chine au XIIIᵉ siècle.

Comme on le sait, il existe des espèces quasi

identiques qui sont le Mandarinier et la Bergamotte.

Les feuilles d'Oranger sont mises dans le commerce après avoir été séchées au soleil. Les fleurs doivent se récolter avant la floraison, par temps sec, et être mises à sécher dans des séchoirs à cet effet.

L'Oranger est une plante sujette à la domination astrale de Vénus, disent les experts en horoscopes, qui ajoutent que la fleur d'Oranger représente l'innocence. Ces mêmes experts conseillent de porter cette fleur une heure seulement dans la vie. Pendant cette heure, disent-ils, il se produit, par un mystérieux procédé d'alchimie, une extraordinaire opération de transfert : l'innocence se transforme en sagesse. Autrement dit, l'innocent devient un sage.

ORGE
Hordeum vulgare
famille des Graminacées

On le dit originaire de Russie; or, cette graminacée n'était pas inconnue de Moïse. L'Orge a donc un long passé derrière lui. Cinq siècles avant Jésus-Christ, on l'utilisait déjà pour produire une sorte de bière.

L'Orge se distingue par ses feuilles qui sont plates et par ses fleurs qui sont groupées en épis simples et les épillets par 3.

L'Orge est la céréale qui résiste le mieux au froid. On le cultive en plaine, en colline, en montagne, où il vit et se porte bien même à 2000 mètres au-dessus du niveau de la mer. Ses emplois sont multiples: il sert à l'alimentation des animaux domestiques et, naturelle-

ment, de l'homme. On le connaît également comme
succédané du café. En médecine, son action est rafraî-
chissante et adoucissante.

On compte 5 espèces d'Orge. Citons celle qui est
très commune le long des routes de campagne,
l'*Hordeum murinum*.

Rappelons enfin que des écrivains comme Pline et
des médecins comme Hippocrate en ont fait mention.
Ce dernier le prescrivait dans les maladies les plus
graves.

ORIGAN
Origanum vulgare
famille des Labiacées

L'Origan est le cousin germain de la Marjolaine.
Comme celle-ci, on le cultive pour en utiliser les feuilles séchées comme condiment en cuisine.

L'Origan se présente avec une tige dressée, velue,
des feuilles ovales et des fleurs rouges groupées en
panicules. Il affectionne les terres sèches, les coteaux,
les pentes. Il aime indifféremment la mer ou la montagne. Il fleurit pendant l'été. Récolte: il est préférable
d'en cueillir les sommités fleuries en début de floraison. L'Origan des coteaux bien secs est le meilleur.
Une fois récolté, on confectionne des petits bouquets
que l'on fait sécher à l'ombre.

Le saviez-vous?

Saviez-vous que dans certaines régions septentrionales on en fumait autrefois les feuilles comme du tabac?

Saviez-vous que dans le Nord on buvait du thé d'Origan et qu'on appelait ce thé «thé rouge»?

Saviez-vous que pour aromatiser la bière, on utilisait de l'Origan, avant tout pour la renforcer, mais aussi pour la conserver?

Saviez-vous qu'avec les sommités fleuries de cette plante on peut teindre la laine en rouge brun?

ORME
Ulmu campestris
famille des Ulmacées

Nous citons l'Orme pour son écorce dont nous avons rappelé le pouvoir de combattre les dermatoses.

L'Orme est un arbre majestueux qui vit longtemps; ses feuilles sont ovales, d'un ovale pointu, de «style gothique» pourrions-nous dire; il pousse, c'est bien connu, à l'état sauvage dans les bois; on le cultive cependant aussi dans les parcs et le long des avenues. Si son écorce est utilisée en médecine, les feuilles sont dépuratives; le bois est employé en ébénisterie.

ORTIE
famille des Urticacées ou
famille des Labiacées

Il y a Ortie et Ortie: celle dont le nom scientifique
est *Urtica dioica*, de la famille des Urticacées; ensuite
l'Ortie dite blanche — nom scientifique *Lammium
album* — qui, si l'on s'en tient aux classifications,
ne serait même pas parente de la première. L'Ortie
blanche en effet fait partie de la famille des
Labiacées.

«Jeter son froc aux orties», cela signifie renoncer
à une vocation. En somme, l'idée de l'Ortie n'évoque pas des images très agréables, encore moins
édifiantes. Il semble qu'entre l'homme et les Orties,
règne la plus vive antipathie. Depuis combien de
millénaires? L'Ortie est un peu comme le chien: née
plus ou moins avec l'homme, elle a suivi ses traces
partout.

Pourtant, cette plante herbacée est un réservoir de
propriétés médicinales: on l'a vu dans les deux volumes consacrés à la phytothérapie et à l'art culinaire.

Disons tout de suite qu'il existe deux qualités de
l'Ortie commune, c'est-à-dire de celle appartenant à la
famille des Urticacées: l'Ortie dioïque ou Grande
Ortie et l'Ortie brûlante *(Urtica urens)* ou Petite Ortie.
La première est longue de 50 cm à 1 mètre; la
seconde est plus modeste: elle atteint difficilement les
50 cm.

Nous sommes en train de parler — pour que les
choses soient bien claires — de l'Ortie commune,
dans ses deux versions (dioïque et brûlante). La

période idéale pour sa récolte est l'été. Il ne faut pas le faire les mains nues, mais se munir de ciseaux, et surtout d'une paire de gants.

Le saviez-vous?

Saviez-vous que l'infusion d'Ortie fraîche dans un baril d'eau chaude pendant une journée devient une boisson foncée, à l'odeur forte, en même temps nourrissante et désaltérante qui, entre autres, plaît beaucoup au bétail?

L'Ortie convient surtout aux chevaux, aux ânes et aux ruminants en général, lesquels la veulent sèche et écrasée. A propos d'animaux, ou mieux de bétail, saviez-vous qu'un spécialiste en fourrage soutenait que la valeur nutritive de l'Ortie est de 48 unités nutritives contre 38 pour le foin? Saviez-vous que les poules, les oies, les canards et les dindons raffolent aussi des feuilles d'Ortie séchées et pulvérisées?

Saviez-vous que pour donner une bonne santé à vos chevaux et pour leur procurer une robe luisante et souple, il est bon d'ajouter à l'avoine une belle poignée d'Ortie fraîche coupée en petits morceaux?

Une nouvelle curieuse pour les passionnés d'horoscope: la plante d'Ortie est la plante de Vénus. Elle symbolise et favorise la luxure, et même l'immortalité!

Mességué cite le cas d'un vieil ami à lui, coureur de jupons impénitent, qui vécut jusqu'à cent ans en passant d'un lit à l'autre et qui se «rechargeait» sexuellement... comment? En se roulant dans les Orties. Il semble que cette thérapeutique sauvage soit très efficace pour certaines activités.

D'ailleurs — cela non plus vous ne le saviez peut-être pas — Pétrone nous parle d'une prêtresse qui, pour donner de la vigueur aux hommes, surtout aux vieillards, les fouettait avec un bouquet d'Orties «sous le nombril, sur les reins et sur les fesses».

PANAIS
Pastinaca sativa
famille des Ombellifères

Plante herbacée à minuscules fleurs groupées en ombelles, de couleur jaune. Les racines sont grosses, charnues, comestibles; on en extrait de l'alcool et de l'amidon.

Le Panais est recommandé dans les digestions difficiles.

PARIÉTAIRE
Parietaria officinalis
famille des Urticacées

Connue également sous le nom de «perce-muraille» ou de «casse-pierre» parce qu'elle naît, vit et meurt parmi les décombres.

La Pariétaire est une plante herbacée dotée d'une tige droite et ligneuse à la base, dont la hauteur peut varier de 30 à 70 centimètres; elle possède des fleurs verdâtres presque inodores. Sa saveur par contre est salée à cause du fort pourcentage de salpêtre qu'elle contient. Connue dès l'Antiquité, la Pariétaire était utilisée dans les affections des voies urinaires et comme diurétique. Le temps n'a pas démenti ses emplois bénéfiques.

Le saviez-vous?

On utilise la Pariétaire pour nettoyer toutes sortes de récipients, c'est pourquoi on l'appelle aussi «herbe à bouteilles».

PATATE DOUCE
Ipomea batatas
famille des Convolvulacées

Plante herbacée de l'Amérique centrale cultivée pour ses tubercules qui ressemblent aux pommes de terre, mais dont la saveur est sucrée.

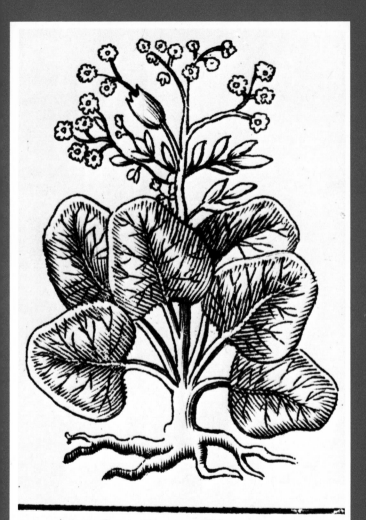

Rhabarbarum.

D'origine asiatique, la rhubarbe est une plante à larges feuilles portées par de gros pétioles comestibles.

Cette plante s'appelle aussi Patate américaine. Elle fut en effet importée d'Amérique et plus précisément de Haïti, en Europe par Christophe Colomb qui en fit hommage, avec d'autres produits du Nouveau Monde, à la reine d'Espagne, Isabelle de Castille.

La Patate appartient à la grande et prospère famille des Convolvulacées, c'est-à-dire à la famille de ces plantes ayant des clochettes et des convolvulus à racines qui serpentent, des tiges herbacées rampantes ou rasantes. Ici pourtant, avec la Patate douce, les racines, de temps à autre, forment de gros gonflements tubéreux qui donnent ensuite ces tubercules à pulpe charnue, tendre, farineuse, un peu sucrée et souvent parfumée: bref, c'est un excellent aliment et une douce gourmandise, comme disait un botaniste connu qui signalait l'existence d'un phénomène: un pied de Patates douces colossales (un tubercule de 3 kg 100 et d'autres qui a eux trois pesaient 5 kg 250).

Il y a des variétés de Patates qui contiennent jusqu'à 17% d'amidon et 4% de sucre; seule difficulté: la conservation en est compliquée. A une température supérieure à 15° C les tubercules commencent à germer et il est alors très dangereux de s'en servir, tant comme nourriture pour les êtres humains que comme alimentation pour les bêtes. A une température de 5° C, elles fermentent et dégagent d'abord une odeur de rose, puis se mettent subitement à pourrir. La difficulté de leur conservation réside justement dans ce dosage de la température; si l'on doit les conserver, il faut donc les placer à une température constante de 8 à 10° C dans un local propre.

PAVOT SOMNIFÈRE
Papaver somniferum

Plante herbacée typique de l'Asie; fleurs rosées ou violacées; fruits en capsule; de leurs graines on retire l'opium. La racine est pivotante; la tige peut atteindre 1,50 m de hauteur; quelques rares grandes feuilles.

Pour trouver l'opium, il faut inciser les capsules vertes non mûres: il apparaît, d'abord blanchâtre, puis coagulant en gouttes sombres. A partir de ce moment il est utilisable. Contrairement à ce qu'on croit, il semble que les anciens Chinois auxquels on attribue habituellement le monopole de cette drogue, ne connaissaient pas du tout cette plante et que ce sont les Persans et les Hindous qui la leur ont fait connaître.

Quoi qu'il en soit, de la Chine l'opium arrive en Europe. Dès qu'on en connaît les effets, nocifs certes, mais aussi voluptueux, l'opium fait l'objet d'une énorme demande. Le gouvernement chinois tente d'empêcher l'importation de la drogue qui provient des colonies anglaises de l'Inde, en imposant de très fortes taxes. L'Angleterre déclenche alors une guerre, la célèbre «guerre de l'Opium» qui se termine en 1847: la Chine est battue et contrainte de permettre aux bateaux anglais d'accoster dans ses ports, chargés d'opium.

Mais quelle est donc la composition chimique de cet infernal et paradisiaque opium? Elle n'est pas simple et comprend différents alcaloïdes: papavérine, codéine, thébaïne, narcotine, morphine, narcéïne, qui tous possèdent de remarquables propriétés hypnotiques, narcotiques, sédatives, analgésiques.

Autre question: que provoque l'opium en tant que drogue? Avant tout une accélération du pouls et de la respiration, une élévation de la température et le rétrécissement des pupilles.

Le lecteur se demandera peut-être pour quelle raison les Orientaux se sont tant attachés à l'opium. Et non seulement les Orientaux: n'y a-t-il pas aussi, hélas! quantité d'Européens, d'Américains, d'Australiens, etc. qui se droguent à l'opium? Pourquoi cette forme d'intoxication? Avant tout, disons que l'opium est la drogue des riches, il coûte cher, il n'est pas comme le *Hachisch* de consommation populaire. On fume l'opium parce qu'il provoque un assoupissement au sein duquel surgit une succession d'images et de sensations qui suivent la respiration et le rythme cardiaque. Sensation et vision sont pour ainsi dire bloquées et vécues par l'opiomane si intensément qu'elles semblent arrêtées. En d'autres termes: l'action de la drogue semble suspendre le temps, l'annuler.

Ajoutons toutefois un détail: cet état de béatitude a un prix. Immédiatement après la prise, l'opiomane vomit. Voilà pour le billet d'entrée. La taxe de séjour est encore plus lourde: après quelques années de «fumerie», la cloison du nez se perce. Il existe des consommateurs obstinés d'opium qui ont dû recourir à des opérations de chirurgie esthétique.

Ce n'est pas pour rien que le Pavot somnifère était soumis, suivant les Anciens, à l'influence de Saturne: il communiquait la paresse, la misanthropie, la mollesse du caractère. Il existe aussi, comme vous le savez, le Pavot sauvage, communément connu sous le nom de Coquelicot (voir ce mot).

PERSIL
Petroselinum hortense
famille des Ombellifères

Nous commencerons par une mise en garde: lors-que vous irez cueillir le Persil, prenez garde à ne pas le confondre avec une herbe qui lui ressemble beaucoup, le cerfeuil d'âne, ombellifère elle aussi, mais très véné-neuse et que l'on appelle aussi ciguë blanche. Atten-tion encore à ne pas confondre notre Persil avec une autre herbe, tout aussi dangereuse, à savoir la grande ciguë, poison bien connu dans l'Histoire. Lorsqu'ils parlent du Persil, les auteurs disent habituellement: herbe trop connue pour qu'il soit nécessaire de la décrire. Certes, mais aussi trop semblable d'aspect à d'autres herbes vénéneuses. D'où la nécessité de la définir avec précision: tige dressée, striée, rameuse; les feuilles sont triangulaires à petites fleurs blanc ver-dâtre en ombelles serrées.

Le Persil est originaire de l'Orient; on en cultive dans les jardins différentes variétés; on le trouve aussi à l'état sauvage. Il n'a pas de préférence, il pousse sur tout terrain; toutefois, les zones herbeuses lui plaisent plus. Quand fleurit-il? De mai à juin. Qu'est-ce qui fait le plus envie au ramasseur? Tout, les feuilles, les racines fraîches, les graines. Le Persil a toujours été très recherché et largement utilisé en médecine. Entre autres, on croyait autrefois qu'il avait le pouvoir de faire disparaître les effets de l'ébriété. Quant aux croyances à son sujet, elles sont légion. Par exemple, dans certaines régions de France on prétendait que celui qui semait le Persil en terre s'exposait à une mort certaine dans l'année. A cause de cette réputation, le *Petroselinum hortense* se trouvait en position difficile auprès des maraîchers. En effet, si celui qui le semait en terre avait une mort assurée, comment faire pour le semer? Les maraîchers, ces petits artisans, avaient trouvé l'échappatoire: nous sèmerons cette ombellifère dans un trou du mur, disaient-ils, c'est-à-dire que nous préparerons au pied du mur la terre qui recevra, deux ans après, les semences de la plante parvenue à maturité. Dans le Midi de la France, il existe une autre croyance: à savoir que si une femme enceinte cueille le Persil, la plante mourra.

Pourtant, il n'est pas juste que l'on médise ainsi du Persil. D'abord, il embaume, ensuite n'oublions pas que les anciens Romains, qui avaient découvert ses grandes vertus, le cultivaient avec passion.

Le saviez-vous?

Saviez-vous que Charlemagne était grand amateur de Persil?

Et saviez-vous qu'en faisant manger du Persil à vos lapins, vous rendrez leur chair plus savoureuse?

PETITE PERVENCHE
Vinca minor
famille des Apocynacées

La petite Pervenche est une plante herbacée au feuillage persistant, à petites fleurs bleues et à feuilles ovales, brillantes et de saveur amère. C'est précisément l'infusion des feuilles qui donne les décongestionnants salutaires et les stimulants de la fonction gastrique.

PILOSELLE
Hieracium pilosella
famille des Composées

La Piloselle, ou Épervière, est une de ces plantes dont les racines sécrètent des substances qui sont toxiques pour d'autres végétaux. Les chercheurs sont en effet parvenus à démontrer que la racine de la Piloselle exerce une action inhibitrice sur la germination de certaines plantes cultivées. Ceci pourrait servir à démontrer l'évolution de certains groupements de plantes sauvages.

La Piloselle se reconnaît facilement par sa rosette à feuilles entières, oblongues, de couleur grisâtre et velues, par ses capitules tout aussi velus, de couleur jaunâtre, qui naissent au centre de la rosette. Elle pousse indifféremment sur les terrains calcaires et sur les terrains siliceux. L'été est la période de floraison.

Le saviez-vous?

Olivier de Serres nous assure que le suc de la Piloselle était employé dans la fabrication d'une trempe pour couteaux et épées qui les rendait particulièrement tranchants.

PIMPRENELLE
Sanguisorba officinalis
famille des Rosacées

Cette herbe persistante est très commune dans toute l'Europe; on la trouve de préférence dans les zones herbeuses et boisées. La Pimprenelle possède une tige ramifiée, des feuilles dentées aux bords et des fleurs qui vont du rosé au blanchâtre, groupées en ombelles terminales. La gracieuse Pimprenelle fleurit pendant l'été; on en récolte alors la racine ou la plante entière.

A titre de curiosité, nous dirons que la Pimprenelle officinale *(Sanguisorba officinalis)* a dans la petite Pimprenelle *(Sanguisorba minor)* une sœur: la différence se trouve dans les fleurs, d'un rouge sombre ou rougeâtre pour l'*officinalis*, verdâtre pour la *minor*.

Outre les vertus médicinales qui intéressent l'homme (dont nous avons parlé ailleurs à propos de la dysenterie), il faut mentionner les bienfaits qu'elle apporte dans l'alimentation des animaux: on a toujours reconnu à la Pimprenelle la propriété d'accroître la quantité de lait et d'améliorer la qualité du beurre. Il faut regretter que sa culture ait été presque ou totalement abandonnée, car cette plante qui a le don de continuer à pousser sous la neige, pourrait fournir de la nourriture pendant la pâture d'hiver.

PISSENLIT
Taraxacum officinalis
famille des Composées

Le Pissenlit, ou Dent-de-lion, appelé encore «Florion d'or», est une herbe fort commune: on la trouve dans tous les prés, tous les terrains incultes, au bord des routes, le long des sentiers; le Pissenlit n'a pas, en effet, de lieu de prédilection.

Le Pissenlit est une plante persistante. Il a une racine charnue, ses feuilles sont oblongues et dentelées, elles ressemblent aux dents du lion, d'où son surnom. Ses fleurs sont d'un beau jaune d'or. Après maturité, elles se transforment en curieux ballonnets à aigrettes que petits et grands cueillent et dispersent d'un souffle dans le vent.

Précisons que la période idéale pour sa récolte se situe de mai à fin septembre. Partie utilisée: la racine, sans exclure pourtant le suc, ni les jeunes feuilles, crues en particulier, que l'on mange en salade. Le Pissenlit ne se refuse à personne: il pousse dans les champs, partout, jusque dans les interstices des pavés des vieilles rues et dans les fissures de nos rues asphaltées.

Le saviez-vous?

Saviez-vous que le Pissenlit est une plante médicinale connue en particulier pour ses excellentes propriétés diurétiques, ce qui lui a valu... son nom!

PLANTAINS
famille des Plantaginacées

Il existe le Plantain lancéolé (*Plantago lanceolata*) et le grand Plantain (*Plantago major*): ils sont frères. Les Plantains se présentent avec des feuilles ovales, grandes, un peu épaisses; ils fleurissent au printemps et en été. On en utilise de préférence les feuilles qui doivent être cueillies en juin-juillet et séchées à l'ombre. On utilise aussi les graines, mais elles doivent être récoltées lorsqu'elles sont totalement mûres.

Où poussent-ils? En général, sur le bord des étangs. Le Plantain lancéolé et le grand Plantain jouissaient jadis d'une haute considération. Mais depuis cent ans, ils ont déchu. Les botanistes et les herboristes les négligent maintenant.

Les paysans, eux, continuent à utiliser cette herbe pour ses propriétés médicinales (pour freiner les sécrétions, cicatriser les blessures, soigner l'angine, etc.) et pour le bétail. Le Plantain en effet plaît beaucoup aux ruminants.

Il plaît aussi aux oiseaux chanteurs. Vous voulez les calmer dans leurs cages? Mettez-leur des épis de Plantain, ils en raffolent.

POLYPODE
Polypodium vulgare
famille des Polypodiacées

Il s'installe sur les troncs, au pied des arbres, parmi les vieux murs. On l'appelle souvent Polypode du chêne mais aussi Réglisse des bois, Fougère douce, car les enfants en mâchent le rhizome à la saveur sucrée. On le considère comme un purgatif doux.

En France, on appelle aussi le Polypode Herbe au gain. On disait en effet qu'il portait chance dans les loteries et protégeait pendant les épidémies ceux qui le portaient sur eux.

Le Polypode étant épiphyte (qualificatif s'appliquant aux plantes qui vivent sur les troncs ou sur les branches des arbres) peut être utilisé pour décorer les vieux pommiers presque stériles et embellir ainsi le jardin. Pour cela, il suffit de le détacher des troncs où il est né à l'état sauvage et de le transporter sur l'arbre que l'on désire «rajeunir» d'aspect. On effectuera cette opération en enlevant la plus grande partie de la mousse qui lui sert d'assise. Il suffira ensuite de l'appuyer sur une grosse branche ou à l'endroit d'une bifurcation, de l'attacher pour qu'il ne tombe pas, et de répandre un peu de terreau ou de mousse qui aidera le rhizome à reprendre. On procédera de la même manière pour «reverdir» les vieux murs. Les transplantations ne doivent pas être effectuées pendant les périodes de sécheresse.

POMME DE TERRE
Solanum tuberosum
famille des Solanacées

Plante herbacée à fleurs blanches ou violettes et feuilles composées que nous connaissons tous. Nous ne savons pas en revanche d'où elle vient, et surtout nous ignorons comment elle est arrivée chez nous. Quand Atahualpa, dernier roi du grand peuple des Incas, est assassiné, les pillards espagnols se jettent sur le trésor royal. La razzia commence: or, pierres précieuses de toute beauté et de grande valeur constituent le riche butin qu'ils rapportent à leur patrie. Eh bien, parmi le scintillement de l'or et des pierres précieuses se trouve une Pomme de terre. Ainsi, en cette superbe et hautaine compagnie, elle fera son entrée à la cour royale de Madrid, au XVIe siècle. C'était la première fois que les Européens la voyaient. Et ils l'accusèrent injustement d'apporter la lèpre!

Cet «or» végétal que l'on cultivait au Pérou et au Chili depuis la nuit des temps passera de l'Espagne en France, puis en Italie.

Tout ayant été dit sur la Pomme de terre en d'autres pages de cet ouvrage, il ne reste plus qu'à parler de sa conservation. On raconte que le maréchal Gœring, dans un de ses grands discours militaires et politiques, n'a pas dédaigné d'y introduire quelques observations sur la bonne conservation des Pommes de terre. Voici ce qu'il faut faire: avant tout, choisir les locaux les plus secs et les plus abrités du froid; il ne faut pas entasser les tubercules sur plus de 50 centimètres de haut, mais plutôt les étaler sur de la paille, des feuilles sèches, des tables en bois. Il faut ensuite veiller à ce que la température du local soit comprise entre 2 et 8° C. En effet, au-dessous de 2° C, la Pomme de terre gèle. Dans le cas où ce risque existe, il convient de couvrir les Pommes de terre avec des chiffons ou un autre matériau isolant. Il est nécessaire que l'aération soit assurée: la Pomme de terre veut respirer. Quant à la lumière, la meilleure pour les Pommes de terre de consommation est celle du crépuscule. Il est donc indispensable d'obscurcir les fenêtres avec du papier journal ou au lait de chaux. L'obscurité complète fait germer la Pomme de terre dès que la température augmente; la lumière trop vive la fait verdir. Il est conseillé en outre d'inspecter les Pommes de terre conservées afin d'enlever aussitôt celles qui seraient abîmées.

POTENTILLES
famille des Rosacées

Les Potentilles, de quelque espèce qu'elles soient, ont un aspect gracieux: en marchant à travers les bruyères, dans les prés siliceux, sur le bord des sentiers, dans les clairières, en bordure des champs cultivés, dans les jardins, à proximité des fosses à fumier, le long des étangs et des rivières, on rencontre souvent une espèce ou l'autre.

Combien et que sont-elles? Voici la Tormentille (*Potentilla tormentilla*) (feuilles qui partent du même point, quatre pétales, plante fine à tige droite et à grosse racine); voici la Potentille rampante (*Potentilla reptans*) (tige longue, grandes fleurs, feuilles généralement à cinq folioles); voilà la Potentille ansérine (*Potentilla anserina*) (feuilles sur deux rangs, petites, certaines très petites, soyeuses et argentées).

La Potentille rampante est communément connue sous le nom de Pentaphyllum ou Quintefeuille; elle naît et pousse un peu partout, des bords des sentiers aux talus. A propos de cette espèce de Potentille, la magie en fait la plante de Mercure. Ainsi, elle apporterait le don du savoir. Les occultistes disent que, portée sur le corps comme talisman, elle favoriserait l'acquisition de la richesse, la découverte de choses précieuses et même de trésors. Toujours au dire de ces occultistes, la Quintefeuille prédisposerait à la concentration et à l'intériorisation, surtout le mercredi et aux heures gouvernées par Mercure. A part cela, la Potentille rampante dont nous parlons, a toujours été vantée par les paysans comme un puissant fébrifuge.

Quant à la Tormentille qui naît et vit dans les bruyères, elle est connue pour ses propriétés médicinales, tout particulièrement dans le traitement des diarrhées chroniques séniles. Comme nous l'avons déjà dit ailleurs, *tormentilla* n'est en effet qu'un diminutif du nom latin *tormina* qui signifie précisément «colique». En ce qui concerne sa récolte, attention: l'arracher à la fin de l'été, si possible le soir puis, coupée en morceaux, l'exposer au soleil ou à la chaleur douce d'un four. Nous signalons comme curiosité que la Potentille étant très riche en tannin, est recherchée pour le tannage des peaux. Les Lapons s'en servaient pour teindre leurs peaux en rouge.

Potentille ansérine (voir ce mot).

POTENTILLE ANSÉRINE
Potentilla anserina
famille des Rosacées

Appelée aussi Herbe aux oies car son nom *anser* traduit du latin signifie «oie», cette plante vit en bordure des étangs, des rivières, sur les terres fumées par les animaux et sur tous les terrains riches en azote.

Suivant certains l'Herbe aux oies ou Bec d'oie est ainsi appelée parce qu'elle constituerait pour certains palmipèdes un aliment de choix. Suivant d'autres, cette plante tire son nom du fait qu'elle aime pousser dans les lieux piétinés par les oies. Cette théorie semblerait plus vraisemblable que l'autre, puisqu'il est connu que la Potentille ansérine aime prospérer dans les terres engraissées par les animaux. Seuls les porcs aiment se nourrir de ses racines, toutes les autres bêtes semblent l'avoir exclue de leur alimentation.

Floraison: mai-juillet. Cette plante est pourvue à cette période de l'année d'un beau feuillage argenté et de jolies petites fleurs d'où le nom d'Argentine qu'on lui donne parfois. La culture de la Potentille ansérine est conseillée sur tous les terrains sujets aux inondations. En effet, elle a le pouvoir de retenir les terrains sablonneux.

PRÊLE
Equisetum arvense
famille des Equisétacées

La Prêle a divers surnoms, Queue de cheval, Brosse à chevaux, Queue de renard, Queue de chèvre, qui lui viennent de sa forme: une sorte de panache. C'est une plante un peu étrange, qui n'a ni feuilles, ni fleurs et accomplit deux cycles de vie dans la même année. La Prêle est très répandue dans les terrains humides, siliceux et argileux; sur le bord des routes, des fossés, dans les zones marécageuses, autour des sources. Ses propriétés curatives sont multiples: astringentes, hémostatiques, diurétiques, reminéralisantes, qui compensent ce que son aspect extérieur peut avoir d'ingrat. Parmi ses principes actifs, le principal est l'acide silicique. De ce principe actif la chimie et la médecine tirent de grands avantages. Il suffit de se reporter à ce qu'écrivait un chercheur voici une dizaine d'années: «Seul le silicium organique (et par organique on entend justement celui qui est tiré de la Prêle) est un silicium qui peut recalcifier». Ce chercheur rappelait là une expérience faite en France sur des rats: «A certains rats à qui on avait cassé le fémur, on a administré des doses de silicium de Prêle; radiographiés, on a constaté une amorce immédiate de réduction de la fracture; à la fin du 17e jour la fracture était complètement ressoudée». Le même chercheur remarquait qu'avec le calcium la fracture n'apparaissait que légèrement réduite.

PYRÈTHRE
Chrysanthemum cinerari aefolium
famille des Composacées

Le Pyrèthre ou Pyréthrum est, botaniquement parlant, un cousin de la Tanaisie ; il est également proche parent de la Santoline (voir ces mots).

Pour vous le faire reconnaître, il suffit de traduire son nom latin : chrysanthème. La pharmacie utilise ses extraits — la pyréthrine — comme vermifuge. Ajoutons que les horticulteurs aussi connaissent bien l'efficacité de cette poudre dans le traitement antiparasite des arbres fruitiers et des jardins potagers.

Le Pyrèthre ressemble un peu à la marguerite : les fruits, assez petits, doivent être semés fin mars en terrain fertile ; il faut les recouvrir d'une légère couche de terre et protéger les semis avec des feuilles sèches ou de la paille. Arroser doucement le soir, lorsque le temps est sec et chaud.

Salvia minor ,

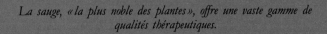

La sauge, « la plus noble des plantes », offre une vaste gamme de qualités thérapeutiques.

RAIFORT
Armoracia lapathifolia
famille des Crucíféracées

Le saviez-vous? Le Raifort ne donne pas de graines, tout au moins chez nous. Il faudra donc recourir à la transplantation des racines.

Le Raifort est une plante herbacée ancienne. On le connaissait au Moyen Age et on s'en servait comme condiment et comme médicament. Cette crucíféracée vient, dit-on, de très loin. On parle même de la Sibérie... Surnoms: Cran, Moutarde des Allemands,

Cranson, Moutarde des Capucins. Taille, un mètre et parfois plus; fleurs petites et groupées en épillets terminaux; racine pivotante grosse et pulpeuse; signes particuliers: arôme délicieux. Culture: le Raifort n'est pas très exigeant; il aime les terrains frais, pourvu qu'ils soient profonds et bien engraissés. Attendre le printemps pour couper les racines en morceaux de 8 à 10 centimètres de longueur; les enterrer, mais espacées de 40 centimètres l'une de l'autre; puis sarcler, et lorsque les feuilles commencent à apparaître, sarcler encore. La racine commence à être bonne dans la deuxième année.

RÉGLISSE
Glycyrrhiza glabra
famille des Papilionacées

Taille: de 30 centimètres à 1 mètre. Tige: droite, striée, robuste; feuilles d'un beau vert. Originaire du Levant méditerranéen, la Réglisse a choisi de résider dans divers pays ensoleillés du globe.

Propriétés médicinales: combat la toux, l'ulcère de l'estomac et les gastrites en général. On extrait le suc des racines que l'on vend aussi dans le commerce en morceaux de formes et de grosseurs diverses.

REINE-DES-PRÉS
Filipendula ulmaria
famille des Rosacées

Effectivement, c'est bien la reine des prés. On la trouve sur les bords des ruisseaux, dans les lieux marécageux, riante, gracieuse, un peu coquette: c'est une herbe qui a de la distinction.

Observons-la: la tige est droite, elle atteint parfois 1,50 mètre; les feuilles sont régulières, classiques, joliment découpées, les feuilles terminales étant plus grandes. Les fleurs sont petites, nombreuses, à 5 pétales arrondis. Les fruits sont enroulés en spirale, les uns autour des autres. Récolte: le système le plus expéditif consiste à couper les tiges à la base; les suspendre ensuite à des fils de fer au grenier, ou tout au moins sous abri aéré, mais toujours à l'ombre. La «chasse» à la Reine-des-prés n'est pas difficile, cette plante poussant souvent en touffes.

Le saviez-vous?

Saviez-vous que les fleurs de la Reine-des-prés, infusées dans la bière ou dans le vin, parfument l'un et l'autre?

RENOUÉE
Polygonum aviculare
famille des Polygonacées

Plante herbacée aux petites feuilles et aux fleurs minuscules, appelée aussi Casse-pierre. C'est l'une des rares plantes qui ne craignent pas la sécheresse: nous pouvons la voir le long des routes, dans les jardins et les prés. Elle contient de la silice et du tannin. En médecine, on s'en sert comme astringent sous forme d'infusion. Dioscoride et Théophraste, déjà, l'employaient pour arrêter les saignements et les diarrhées.

Les occultistes l'appellent encore Plante du Soleil. En cette qualité — nous les citons — «la Renouée est particulièrement active, à recommander surtout dans les relations amoureuses où elle est bénéfique puisqu'elle maintient une liaison astrale constante entre les personnes qu'elle doit unir».

Elle est très commune et vit surtout sur les terrains secs ou sableux, indifféremment à la mer ou en montagne; c'est une plante annuelle à tige mince. Il est conseillé de la récolter à la fin d'octobre, période à laquelle elle contient le plus de silicium. La Renouée en effet est recommandée contre les diarrhées — nous l'avons dit — mais aussi la dysenterie, les entérites, les entérocolites, l'épistaxis, l'hémoptysie.

RENOUÉE BISTORTE
Polygonum bistorta
famille des Polygonacées

Fille légitime des Polygonacées, la Renouée bistorte recouvre en été d'un magnifique manteau rose les prés des montagnes siliceuses et les vallées. Cette plante délicate possède une tige simple, avec quelques rares feuilles et qui porte en son sommet un épi dense de minuscules fleurs roses. La fleur ainsi composée contient 8 étamines saillantes et 3 styles. Le fruit est de couleur brune et a une forme triangulaire. Son gros rhizome justifie le nom de «bistorta» qui signifie «entortillé deux fois». A ce propos, Favarger écrit: «Son nom est sans doute pittoresque, mais trahit une fois de plus une certaine absence d'image poétique. Pourquoi appeler cette jolie plante d'un nom qui évoque la torsion d'un rhizome qui ne se voit pas? Cela on ne le sait qu'en laboratoire...»

La Renouée bistorte se plante en automne, dans un terrain humide et profond, avec des graines ou en utilisant des morceaux de rhizome qui, en peu de temps, développeront des tiges, des feuilles et des fleurs. Les feuilles tendres de la plante mangées cuites sont rafraîchissantes et diurétiques.

RHUBARBE
Rheum officinalis
famille des Polygonacées

L'aspect de cette plante est majestueux, avec ses feuilles larges, lobées, palmées, dentées, riches en panicules de fleurs jaunâtres, ou d'une autre couleur, suivant la variété.

On dit qu'elle est d'origine asiatique: mais on la trouve aussi en Europe pour l'ornement et pour la substance qu'on extrait de ses rhizomes. Après les avoir décortiqués, on les met dans le commerce en morceaux, en tranches: leur saveur est caractéristique, forte et amère.

Il existe aussi la «Rhubarbe des moines», toujours de la même famille. Elle pousse dans les lieux alpestres; autrefois on l'utilisait dans les couvents, pour remplacer la vraie Rhubarbe dont elle possède les propriétés, mais moins prononcées.

ROMARIN
Rosmarinus officinalis
famille des Labiacées

Cet arbuste persistant était obligatoirement cultivé par les paysans et les sujets de Charlemagne, sur ordre péremptoire de ce dernier qui, évidemment, connaissait ses propriétés, thérapeutiques et culinaires. Aujourd'hui, on trouve le romarin dans les jardins, les allées, ou les jardinières des balcons où il fait belle figure.

Cette plante possède des tiges ligneuses qui habituellement n'atteignent pas 1 mètre de hauteur et qui sont couvertes de petites feuilles coriaces, linéaires et fines. On peut dire qu'elle ressemble à un sapin pelé, avec ses petites branches tournées vers le haut. Le romarin aime les côtes maritimes ensoleillées. Sa période de floraison va de mars à octobre.

Le saviez-vous?

La reine Élisabeth de Hongrie avait coutume de préparer — inspirée par un ange, disait-elle — un distillat obtenu à partir de fleurs de Romarin macérées dans de l'alcool.

Le Romarin était considéré par les Égyptiens, par les Romains et par les Arabes, comme une panacée. Ils l'utilisaient aussi comme tisane antispasmodique contre les douleurs au ventre causées par l'état inflammatoire de la muqueuse intestinale, et contre les indispositions des femmes. Toujours grâce au Romarin, la reine Élisabeth de Hongrie, alors âgée de soixante-douze ans, toute goutteuse, toute rhumatisante et infirme qu'elle était, aurait retrouvé la splendeur et l'éclat de ses vingt ans et séduit ainsi le roi de Pologne au point que celui-ci, éperdument amoureux, la demanda en mariage.

Le Romarin, en infusion ou en décoction, aurait enthousiasmé d'autres femmes. C'est ainsi que la marquise de Sévigné écrivait dans l'une de ses célèbres lettres à sa fille: «J'en suis folle».

RIZ
Oryza sativa
famille des Graminacées

Plante herbacée à feuilles linéaires qui produit de petits épis à caryopse blanc, dur, riche en amidon; les graines, c'est bien connu, sont hautement comestibles. Nous avons déjà parlé du Riz dans un autre volume du présent ouvrage. Trois siècles avant Jésus-Christ déjà, les Chinois le cultivaient de manière rationnelle. Mais ce n'est qu'au XVᵉ siècle qu'il fut importé en Europe.

Le saviez-vous?

Ceux qui ne mangent que du Riz privé de sa cuticule (enveloppe du riz) s'exposent au béribéri, le Riz poli ne contenant plus de vitamines du groupe B.

Le médecin américain Punch découvrit l'origine de cette maladie qui tuait avant l'âge des hommes et des animaux qui se nourrissaient exclusivement de Riz perlé.

Saviez-vous que la décoction de Riz, légèrement diluée, est une excellente préparation pour amidonner les dentelles, les rideaux et les tissus délicats? (Il suffit de les laisser tremper quelques minutes).

RONCES
de la famille des Rosacées

Les Ronces ont toujours été un casse-tête pour les botanistes. Nous avons consulté différents textes et nous avons trouvé des classifications différentes, car les fruits des Ronces sont tantôt les framboises, tantôt les mûres. Disons qu'en parlant de Ronces, nous nous référons à une sous-famille de la grande famille des Rosacées.

Qui dit Ronces dit haie. Elles présentent une infinie variété de formes: toutes vivaces, toutes installées dans les haies, dans les sous-bois, toutes aussi envahissantes, toutes de naissance facile. Elles peuvent en effet renaître d'un simple morceau de racine tombé de la main de quelqu'un.

Citons, parmi ces variétés, le Framboisier, que l'on reconnaît à ses feuilles de couleur rouge et à ses fruits si savoureux. Il y a les mûres qui sont l'un de nos fruits sauvages les plus populaires; il y a la Ronce à fruits bleus, la Ronce à fruits noirs qui sont recouverts d'une patine poudreuse semblable à celle des prunelles.

ROSE

On sait que de l'Afrique, de la Syrie, de l'Arabie, de l'Inde, du lointain Orient, affluaient à Rome des essences parfumées et des onguents appréciés: la Rose y dominait.

Les parfums, comme on le sait, naissent plus ou moins avec l'homme, plus précisément avec la femme.

Les Persans qui les employaient au dire des historiens, l'utilisaient à l'excès. Les Égyptiens aussi les employaient, nous le savons par la Bible. Les Phéniciens, de même, se servaient abondamment de parfums. Ce sont eux qui transmirent aux Grecs la mode des essences odorantes qui apparaissent dans les maisons aisées et, disons-le, bourgeoises de l'Hellade. Homère nous en parle dans l'*Odyssée*.

Homère connaissait donc l'art de se parfumer; en particulier, il connaissait la technique de distillation des Roses. Pline soutient que les anciens peuples de l'Égée savaient mélanger des substances diverses pour en tirer une essence unique. Naturellement, là aussi la Rose dominait.

Que le lecteur nous excuse pour cette digression sur les parfums, digression qu'ouvre précisément la Rose, reine de tous les parfums. Nous sommes à Rome: la naissance, la mort, les mariages, les cérémonies publiques étaient l'occasion d'utiliser des parfums exotiques et délicats. On se servait d'onguents et d'essences odorantes par pur plaisir, ou à des fins hygiéniques, à différents moments de la journée et suivant les circonstances particulières de la vie sociale. Dans les amphithéâtres, dans les cirques, dans les assemblées, la prédilection quasi morbide du citoyen romain de l'Empire pour les parfums et les odeurs était sans limites, au point de rendre irrespirable l'air des salles de réunions. Romains et Romaines se parfumaient même les narines! L'empereur fou Héliogabale faisait remplir certains bassins de vin parfumé aux essences de Rose. Il y plongeait et buvait de ce liquide jusqu'à en être complètement ivre...

ROSE ROUGE
Rosa gallica
famille des Rosacées

La Rose rouge, dite de Provins, est la Rose mystique des contes populaires. Il s'agit d'une espèce de rosier assez bas, originaire du bassin méditerranéen; il pousse sur le bord des champs, dans les clairières, dans les landes. Son parfum est délicieux. A l'état sauvage, on reconnaît la Rose rouge à ses grandes fleurs pourpres, habituellement solitaires, parfois groupées par deux; on la reconnaît aussi à ses feuilles d'un vert sombre. Il existe deux versions de l'arrivée en Europe de cette Rose rouge. Certains affirment qu'elle fut apportée sur le vieux continent par les croisés de Thibaut de Champagne; d'autres soutiennent que les comtes de Champagne contribuèrent seulement à la répandre dans la région de Provins. Rappelons que la Perse en exportait de grandes quantités. Nous n'avons rien d'autre à dire, hormis ce que l'on sait déjà de ses propriétés médicinales. Nous pourrions seulement ajouter qu'un vieil herboriste du XVIIIe siècle recommandait de cueillir ces Roses «avant que le soleil ne les ait baisées». Pourquoi? Parce que les substances essentielles sont concentrées par la fraîcheur de la nuit.

RUE
Ruta graveolens
famille des Rutacées

Aimant la mer comme la montagne, la Rue se trouve dans toute l'Europe et fleurit de mai à août. D'odeur désagréable, cette plante herbacée exerce une action vermifuge, antispasmodique, emménagogue et abortive. Toxique, la Rue, à doses élevées, peut même provoquer la mort. Ses petites feuilles ovales de couleur vert blanchâtre doivent être récoltées peu avant la floraison et mises à sécher au soleil. Étant donné sa toxicité, l'emploi domestique seul conseillé pour cette plante est d'en garder quelques branches fraîches dans les maisons infestées par les souris. Ovide, Pline et même l'École de Salerne étaient par ailleurs d'avis que la Rue peut rendre la vue plus perçante.

SAFRAN
Crocus sativus
famille des Iridacées

Plante herbacée bulbeuse à fleurs violacées en forme d'entonnoir, des stigmates desquelles on retire l'épice fortement parfumée et colorante utilisée en cuisine et parfois en médecine. Le Safran fleurit de septembre à octobre. En médecine, on l'emploie surtout pour préparer le laudanum (médicament liquide utilisé comme calmant des troubles intestinaux); en cuisine, il sert à colorer certains plats et c'est un condiment aromatique en général. L'École de Salerne le glorifiait autrefois en ces termes: «Le Safran réconforte en rendant joyeux et renforce les membres en soignant le foie». A cette époque le Safran figurait auprès du très coûteux *paradilium* de Tarce, de l'huile d'amandes, et faisait partie du répertoire d'onguents des demeures patriciennes les plus en vue. Mais, les temps ont changé, le Safran est tenu un peu à l'écart en raison de ses propriétés toxiques. Attention donc, laissez à la balance sensible du pharmacien l'estimation exacte du poids et de l'utilisation qui peut en être faite dans le domaine médical, s'entend!

SALICORNE
Salicornia herbacea
famille des Chénopodiacées

La Salicorne, ou Salicornia, aime le voisinage de la mer. Pour la trouver, en effet, il suffit de se promener le long des côtes. Comment la reconnaître? Avant tout par ses fleurs, contenant une ou deux étamines que l'on peut voir pendant toute la floraison, mais qui sont peu visibles, en revanche, d'août à octobre. On la reconnaît aussi et surtout à ses branches en forme de cylindre, apparemment sans fleurs ni feuilles. Il existe diverses espèces de Salicorne: certaines, à tige ligneuse et droite, peuvent atteindre 1 mètre de hauteur; il y en a d'autres de petite taille. Quant à leurs qualités, toutes possèdent les mêmes. Par qualités, nous entendons les propriétés thérapeutiques pour les affections

scorbutiques, les uricémies et le mauvais fonctionne-
ment des reins.

En cuisine, les auteurs conseillent les Salicornes
conservées dans le vinaigre.

SANTOLINE
Santolina chamaecyparissus
de la famille des Composacées

Plante blanchâtre ou verdâtre, d'odeur forte et désagréable: elle pousse spontanément dans les zones arides de la Méditerranée et elle est cousine germaine de
la tanaisie dont elle partage certaines propriétés. En
particulier, ses capitules sont un vermifuge efficace,
précisément comme la tanaisie. La Santoline est
ligneuse, ses tiges sont ramifiées et forment des touffes grises, de 50 centimètres environ, qui vivent le
long des pentes arides et dans les étendues pierreuses
de la zone méditerranéenne. Comme la tanaisie, la
Santoline peut être placée dans les armoires afin de
maintenir les insectes à bonne distance.

SAPONAIRE
Saponaria officinalis
famille des Caryophyllacées

La Saponaire est une plante herbacée persistante, à
feuilles lancéolées et opposées, à grandes fleurs rose
pâle groupées en petits bouquets et à racine fine et
délicate. On la trouve au bord des eaux ou à proxi-

mité de lieux très humides. Cette plante herbacée contient des mucilages, des substances résineuses et un glucoside appelé saponine qui, mis dans l'eau et agité, produit de la mousse comme un savon ordinaire.

La racine de la Saponaire officinale est utilisée en phytothérapie pour ses indiscutables propriétés dépuratives, stimulantes et sudorifiques. Les anciens Arabes employaient sa racine pour combattre la lèpre, les maladies de la peau et les ulcères de l'épiderme.

SARRASIN
Fagopyrum esculentum
famille des Polygonacées

Cette plante devrait avoir des origines orientales, car tout ce qui enrichit notre alimentation, au bon sens du terme, est oriental. C'est du moins ce qu'affirment les partisans du régime macrobiotique et ce qu'ils répètent sans se lasser.

Le Sarrasin est un élément très nourrissant et, ce qui est important, très digeste. Il est recommandé surtout aux personnes surmenées et aux travailleurs intellectuels. Avec sa farine brune, on peut faire d'excellentes galettes et de bonnes bouillies. Les Bretons ont fait de son usage une de leurs «images de marque».

Thymus.

« *Le thym vit, gracieux et impertinent, dans toute la région méditerranéenne* ».

Le saviez-vous?

Le Sarrasin est non seulement nécessaire aux hommes, mais aussi aux abeilles: celles-ci en tirent en effet un miel parfumé, foncé et abondant.

SARRIETTE
Satureia hortensis
famille des Labiacées

Si vous voulez parfaitement comprendre la valeur de la Sarriette, vous devez vous reporter à son étymologie. Il semble en effet que *Satureia* vienne de «satyre». Vous savez sans doute qui étaient les satyres: de puissants amants, moitié hommes, moitié boucs, grands joueurs de flûte et terribles séducteurs de nymphes. En somme, la Sarriette est l'aphrodisiaque par antonomase. On raconte qu'un jour le marquis de Sade a offert à ses invités de petits chocolats contenant de la poudre de Sarriette et qu'il s'en est suivi une magnifique orgie...

Elle fleurit de mai à août. C'est une plante annuelle à feuilles étroites et à fleurs couleur lilas et rose. Elle vit dans les lieux arides calcaires des régions méditerranéennes, sans dédaigner toutefois les premières pentes montagneuses.

La récolte doit en être faite à la fin de l'été.

SAUGES

Les voilà toutes; la Sauge officinale (*Salvia officinalis*) ou Thé de France, Thé de Grèce, la Sauge des prés (*Salvia pratensis*), la Sauge sclarée (*Salvia sclarea*). Toutes de la famille des Labiacées. Nous nous occuperons surtout de l'aînée, la Sauge officinale. Elle pousse çà et là dans les lieux pierreux et arides; ses feuilles, oblongues et grisâtres, traversent l'hiver sans tomber; au début de l'été s'épanouissent de grandes fleurs d'un bleu violacé. La Sauge est une plante herbacée que l'on récolte au début de l'été, si possible à l'aube, le jour de la Saint-Jean. On la sèche facilement, au sec et à l'ombre. Elle se conserve longtemps sans rien perdre de ses qualités, à condition d'être enfermée dans une boîte. La Sauge, la plus noble des herbes, offre une vaste gamme de qualités thérapeutiques célébrées entre autres par un personnage digne de foi, Charlemagne, qui en avait indiqué les mérites dans ses célèbres Capitulaires. L'École de médecine de Salerne l'avait baptisée *Salvia salvatrix*, d'où probablement le nom sous lequel elle se présente aujourd'hui: sauge, herbe qui sauve, qui guérit. «Homme pourquoi meurs-tu lorsqu'en ton jardin pousse la Sauge?» Ce vers est des médecins de l'École de Salerne. Aujourd'hui on dit en Toscane: «Qui a de la sauge dans son jardin, a la santé au corps». Elle préserve même de l'infection propagée par les cadavres et les charognes. Expliquons-nous. En France, nous connaissons bien le «vinaigre des quatre voleurs». C'est une histoire qui remonte au XVIIe siècle. En 1630, dans Toulouse ravagée par la peste, quatre voleurs pillaient impunément les maisons contaminées par la terrible maladie. Les coquins ne s'arrêtaient ni devant les moribonds, ni devant les cadavres. Ils les saisissaient, les retournaient et les volaient sans scrupule. Ils pillaient, indemnes, parmi la peste qui faisait rage et les cadavres qui puaient de plus en plus. Un jour, les quatre voleurs furent attrapés, jugés et naturellement condamnés à mort. Le juge, après avoir lu la sentence, eut une idée: voulaient-ils avoir la vie sauve? Qu'ils donnent la formule du liquide mystérieux avec lequel ils se frottaient le corps avant leurs macabres incursions. Les quatre voleurs se confessèrent. On fit un procès-verbal de leur déposition. Mességué, le grand herboriste de notre époque, jure que la formule se trouve dans les archives de Toulouse et nous le croyons sur parole. Voici: thym, lavande, romarin et Sauge macérés dans le vinaigre. Et le secret des quatre voleurs: «Frottez-vous bien sur tout le corps, dirent-ils, et vous traverserez intacts toutes les épidémies que le diable vous envoie». En somme, ces quatre gredins savaient déjà à cette époque une chose qu'aujourd'hui seulement le laboratoire nous dit, à savoir que la Sauge et ses amies sont des bactéricides puissants. Donc de puissants antiseptiques.

La formule des quatre voleurs fit fortune. Un siècle plus tard, les Marseillais, eux aussi touchés par la peste, se souviendront de l'épisode et à la formule ils ajouteront de l'ail. Mais elle avait déjà été baptisée «vinaigre des quatre voleurs» et comme telle devint un véritable produit de droguerie.

Nous sommes au XIXe siècle: un certain Maille, distillateur de vinaigre, fait breveter cette formule et la lance dans le circuit du commerce des médicaments! Le produit est «recommandé aux sœurs, aux prêtres et aux médecins: buvez-en à jeun une cuillerée dans un verre d'eau, frottez-vous bien les tempes, ensuite vous pourrez tranquillement rendre visite à vos malades».

Mais les vertus de la Sauge ne finissent pas ici. Vous êtes anxieux? Vous êtes émotif? Vous êtes déprimé? N'ayez pas peur. «Un remède simple et bon, écrit Vaga, consiste à garder dans la bouche une feuille fraîche de Sauge et à avaler la salive qui se produit au contact de ce stimulant aromatique.» Vous qui souffrez d'halitose, qui avez une haleine un peu forte, vous la rendrez légère et parfumée en mâchonnant une feuille de Sauge fraîche pendant dix minutes.

Une ancienne croyance populaire attribuait à la Sauge la faculté de favoriser la conception. Cette plante est en quelque sorte une anti-pilule... De plus, une infusion de Sauge prise régulièrement un mois avant l'accouchement facilite celui-ci en diminuant considérablement les douleurs.

SAULE
Salix alba
famille des Salicacées

La hauteur moyenne de cet arbre, aux branches flexibles caractéristiques, tourne autour des 15 à 20 mètres. Pour ses feuilles lancéolées de couleur gris vert et l'élégance de ses branches pendantes qui lui ont valu aussi le nom de Saule pleureur, le Saule est cultivé pour orner les jardins et les allées.

Originaire de l'Orient, le Saule compte dans sa famille d'autres espèces naines que l'on cultive surtout pour en faire de l'osier destiné à la confection de paniers, de chaises et de corbeilles.

Le Saule est connu de tous comme un fébrifuge et un astringent efficace. L'écorce de ses branches contient en effet du salicoside (substance médicinale propre au Saule) et du tannin.

Il ne faut pas oublier que le Saule est la plante magique de Saturne. Du Saule on peut tirer une grande force morale et même la faculté de dominer les esprits. Cette plante serait particulièrement active pendant les jours de Saturne.

Saviez-vous que la fameuse baguette utilisée par les sourciers pour chercher l'eau souterraine, n'est autre qu'une branche de Saule taillée en fourchette?

SAXIFRAGE
Saxifraga herba
famille des Saxifragacées

Nom d'un genre de plantes herbacées, le plus souvent montagneuses, à feuilles charnues et fleurs blanches, jaunes ou rouges. Nous l'avons citée en phytothérapie pour le traitement du catarrhe bronchique. Il est bon de rappeler aussi comme il est écrit dans l'*Herbolario*, «qu'elle brise les calculs de la vessie et fait uriner». En effet, son nom lui-même le dit: saxifraga, composé de *saxum* «pierre» et *frangere* «briser». On l'appelle d'ailleurs populairement Casse-pierre ou Herbe à la gravelle.

SEIGLE
Secale cereale
famille des Graminacées

Plante herbacée semblable au blé, mais aux caryopses plus allongés, moins riches en gluten.

Le Seigle est une plante que l'on cultive depuis l'Antiquité dans les régions les plus froides de l'Europe. Sa patrie idéale est la Russie. La *Secale* dont nous parlons est l'une des 5000 graminées cultivées. Tout le monde la connaît, depuis les anciens Romains qui avaient coutume de la mélanger à la farine de froment.

Rappelons que le pain fait de farine de Seigle est moins nourrissant, certes, que celui à base de farine de froment, mais il peut être consommé sans crainte par le diabétique qui n'a pas recours à l'insuline.

SERPOLET
Thymus serpyllum
famille des Labiacées

Les Serpolets sont de petites plantes... vives, impertinentes, qui adorent le plus brûlant soleil. Les tiges sont habituellement minces; les feuilles sont petites, coriaces, presque rondes. Prenez une loupe et observez-les. A leur surface vous verrez de nombreux sacs transparents; ce sont les glandes pleines d'essence aromatique. Fleurs: couleur rose plus ou moins foncée; la corolle s'ouvre en deux lèvres.

Le parfum du Serpolet varie de la mer à la montagne et d'une forme à l'autre: tantôt il ressemble à celui du thym, tantôt à celui de l'origan.

Récolte: période idéale, le début de la floraison, quand les corolles sont encore en bouton dans le calice.

Séchage: au grenier.

Le saviez-vous?

Saviez-vous que le Serpolet ne plaît pas du tout aux moutons et aux lapins?

Saviez-vous que les abeilles trouvent par contre en lui un excellent nectar?

SOUCI
Calendula officinalis
famille des Composées

Ses fleurs sont d'un beau jaune orangé, d'une odeur désagréable; elles s'épanouissent toute l'année, suivant le soleil de son lever à son coucher. Appelée aussi Souci des champs, cette plante possède des feuilles oblongues légèrement dentelées, des capitules de couleur jaune pâle qui donnent, lorsqu'ils mûrissent, des fruits gros et verts, certains recourbés et garnis de grandes ailes sur les bords. La hauteur du Souci est

habituellement d'environ 30 cm. Le Souci des jardins
et celui des champs possèdent les mêmes propriétés,
mais l'espèce sauvage est plus odorante que l'autre.
Les capitules de cette plante vivace se récoltent au
début de leur floraison; on les fait sécher dans un
endroit sec et aéré et on les conserve dans des boîtes
en bois ou en carton. On utilise également les feuilles,
fraîches de préférence.

Il est intéressant de savoir que le naturaliste et
médecin italien Césalpin «faisait injecter le suc du
Souci dans les oreilles pour tuer les vers»!

Le Souci est connu pour ses indiscutables vertus
thérapeutiques, mais aussi pour ses propriétés météo-
rologiques. Si, en effet, ses belles fleurs jaunes ne
s'ouvrent pas au petit matin, il est certain qu'il pleuvra
dans la journée; si, au contraire, à sept heures du soir
elles sont déjà refermées, on peut espérer du beau
temps pour le lendemain.

STRAMOINE
Datura stramonium
famille des Solanacées

La Stramoine ou Datura pousse dans les lieux sauvages, incultes, sablonneux; elle a des feuilles irrégulières, dentées, d'un vert intense; des fleurs disposées
à l'aisselle de la bifurcation des rameaux, blanches et
tubulaires; des fruits pointus. Elle fleurit de juin à
septembre. Au Moyen Age on la connaissait sous
le nom d'Herbe aux sorciers. En même temps que la
belladone et la mandragore, cette plante servait de

complice aux sorciers. C'est une plante à l'odeur répugnante, au moins pour la Stramoine vireuse. Dominée, purifiée, corrigée par la chimie, la Stramoine possède cependant des propriétés médicinales très utiles dans le traitement de l'asthme nerveux, de l'épilepsie, de l'insomnie, de la coqueluche, des névralgies et de l'hystérie. Cela parce qu'elle contient de l'hyosciamine, de l'atropine et de petites doses de scopolamine. Plante maudite et bénéfique, on la cultive particulièrement en Autriche et dans la Péninsule balkanique.

Dans la magie des plantes, la Stramoine est l'une des plus intéressantes, connue depuis les temps les plus reculés. Les héros des poèmes d'Homère succombent aux envoûtements produits par les philtres contenant le Datura qui a la propriété de transformer les hommes en bêtes. La vérité est que, sous l'influence de cette drogue, les individus, en proie à un état nerveux et comateux, se croient victimes d'horribles métamorphoses.

Les philtres magiques employés par Circé contenaient indubitablement de la Stramoine (voir *l'Odyssée*) Le *népenthès* qu'Hélène tend au jeune Télémaque à la table du roi Ménélas, afin qu'il ne souffre plus de l'absence de son père, était probablement une boisson à base de Datura.

Théophraste et Pline en font une plante très spéciale qui provoquait chez les patients la joie, la bonne humeur, des rêves doux et agréables.

Aux vapeurs de la drogue à base de Datura dont les feuilles brûlaient près des trépieds, on devait les extases vaticinatrices des grandes prophétesses de l'Antiquité.

SUREAU NOIR
Sambucus nigra
famille des Caprifoliacées

Le Sureau pousse parmi les haies et dans les décombres. Vous le reconnaîtrez à ses fleurs: petites, blanches, odorantes, bien alignées et compactes, en ombelles; vous le reconnaîtrez à ses feuilles, composées de cinq ou de sept folioles de couleur vert sombre; froissez-les, elles exhalent une odeur répugnante; vous le reconnaîtrez enfin à son écorce fraîche. Et les fruits? Les fruits qui en septembre sont constitués par des baies noirâtres, sont d'une saveur acidulée lorsqu'ils mûrissent. Les fruits du Sureau noir se cueillent à maturité et se font sécher au soleil ou au four.

Le Sureau noir est la plante protectrice des drogués.

TANAISIE ou ANICET
Chrysanthemum tanacetum
famille des Composées

La Tanaisie ou Anicet a des goûts un peu étranges: il est vrai que cette plante vit parfois cultivée dans les jardins où elle «snobe» les roses et les œillets, mais il est tout aussi vrai que la plupart du temps elle aime pousser à l'état sauvage sur les décharges, les éboulis, le long des talus des voies ferrées et des routes. L'Anicet est une petite plante herbacée qui fleurit pendant l'été: on voit une tige élancée légèrement chancelante avec de petites branches, c'est elle!

On récolte les sommités fleuries au début de la floraison et les graines à la maturité des capitules. Une fois séchée en bouquets, la plante conserve bien sa saveur et ses propriétés. Lesquelles? Contre les oxyures et les ascaris, ainsi que contre les insectes: on avait jadis coutume d'en mettre des feuilles dans les lits pour en éloigner certains hôtes gênants... Ces mêmes feuilles, placées dans la litière des chiens et des chats, mènent pour eux un combat victorieux contre les puces.

Les graines de Tanaisie servent aussi de condiment. Vous pouvez les utiliser dans les viandes, le gibier, les pâtisseries. On fabrique également une certaine liqueur qui ressemble beaucoup à la Chartreuse et qui est tirée de la macération des graines de notre plante dans l'alcool.

TILLEUL
Tilia europea
famille des Tiliacées

Cet arbre ornemental géant peut atteindre 25 mètres. Il possède une abondante frondaison, des feuilles en forme de cœur et des fleurs jaunâtres, très parfumées. Dans l'Antiquité, les païens l'adoraient comme un arbre sacré et l'employaient pour orner les sépulcres.

Il est très répandu en Europe et dans le Caucase. On le voit dans les parcs, le long des allées. On utilise son bois, son écorce, ses fleurs. Ces dernières, récoltées en juin et juillet puis séchées, sont employées en

pharmacologie sous forme d'infusion comme sudorifique et sédatif et pour calmer les crampes d'estomac.
Voilà pourquoi nous avons cité cette tiliacée dont la
place ne se trouve pas parmi les «herbes», mais parmi
les arbres.

Une dernière information: les Français le boivent le
soir à la place du thé, alors que les Italiens, c'est bien
connu, lui préferent la camomille.

THYM
Thymus vulgaris
famille des Labiacées

Il vit, gracieux et impertinent, dans toute la région
méditerranéenne, zones montagneuses comprises. Le
Thym est un ami des lieux arides et pierreux. On le
reconnaît à sa plante à tige dressée, à ses feuilles lancéolées de couleur grise, à ses fleurs munies d'une
petite corolle rosée. On le récolte de mai à août. Pour
son emploi médicinal, il est conseillé de le cueillir en
avril, avant le début de la floraison. Nous allons écrire
des évidences, mais il est bon de le répéter: le Thym
fait partie de ce qu'on appelle le «bouquet garni»
et il en est digne. Dans le Midi de la France il est plus
apprécié qu'ailleurs et il a la priorité sur tous les autres
aromates.

Le saviez-vous?

L'infusion de Thym favorise le travail intellectuel. Poètes, philosophes, ingénieurs, docteurs, avocats, chercheurs, le Thym est votre herbe!

Dans ses *Capitulaires*, Charlemagne fut très clair: les bonnes herbes aromatiques devaient être plantées dans les jardins des monastères et des châteaux, avec pour fonction spécifique d'exalter la saveur des mets. Et le Thym, en même temps que les autres herbes, devait y figurer en bonne place.

Saviez-vous que le Thym est, comment dire? l'antibiotique du pauvre? On connaît depuis l'Antiquité ses propriétés antiseptiques. Vous vous souvenez du célèbre «vinaigre des quatre voleurs»? Dans sa composition entrait aussi le Thym (voir à Sauge).

TOURNESOL
Helianthus annuus
famille des Composées

Nous connaissons les Tournesols, ces grosses fleurs jaunes qui cherchent le soleil.

Cette haute plante annuelle est originaire du Pérou: mais nous la trouvons désormais partout, dans les jardins d'agrément comme dans les potagers. Vous aurez remarqué ses feuilles à triple nervure, ovales, rugueuses, aux énormes capitules avec leurs fleurs centrales brunes, et ses fleurs périphériques jaunes.

Les fleurs périphériques du capitule et les feuilles

séchées se prêtent à la préparation d'une substance efficace contre les fièvres de la malaria; les unes comme les autres se récoltent et se sèchent en plein été. On ne jette rien du Tournesol, tout sert: même les tiges tendres qui peuvent donner un remède populaire contre les douleurs d'estomac. Enfin, les graines des fleurs, bien mûres et torréfiées, peuvent remplacer le café que certains ne tolèrent pas à cause de la caféine.

On en tire aussi une huile de table anticholestérol.

TRÈFLE D'EAU
Menyanthes trifoliata
famille des Gentianacées

Commençons par dire qu'il y a peu de temps encore, on pensait que l'usage répété de l'infusion de Trèfle d'eau prolongeait la vie. Au début du siècle un botaniste français écrivait: «On signale diverses personnes qui ont vécu plus de cent ans en observant cette règle».

Rappelons à ce propos que cette plante agit efficacement sur les insuffisances du foie, organe qui, c'est bien connu, est le plus grand laboratoire chimique existant sur la planète-homme.

Signalement: plante aquatique qui vit ici et là dans les marais et les petits lacs; feuilles à long pédoncule, de couleur verte et de saveur amère; tige glabre et articulée; fleurs nombreuses rosées, à cinq pétales; calice divisé en cinq lobes.

Récolte: de préférence au début de la floraison, à

partir de mai, mois où la plante est le plus riche en
principes actifs; récolter les plantes entières et les faire
sécher immédiatement à l'ombre, suspendues ou étendues sur une claie. Ne pas oublier de les retourner
souvent. Et ne pas oublier ensuite de boire une tasse
d'infusion, pour vivre longtemps.

Le saviez-vous?

Le Trèfle est un symbole magique, parce que soumis au rayonnement solaire. Il donnerait le pouvoir,
l'amour et le savoir.

TUSSILAGE
Tussilago farfara
famille des Composées

Le Tussilage, appelé aussi Taconnet ou encore Pas-
d'âne, est une plante d'aspect un peu insignifiant. Sa
tige est laineuse, elle pousse dans les lieux boisés et
humides. La fleur de Tussilage est la première de
l'année à apparaître. Après la floraison, voici les feuilles qui pointent: grandes, rondes et dentelées. C'est en
raison de cette étrange coutume de fleurir avant
même d'avoir des feuilles que le Tussilage était appelé
jadis *Filius ante patrem*, ce qui signifie: «fils qui naît
avant le père».

Nous l'avons déjà dit par ailleurs: les feuilles sèches
de cette plante peuvent être conseillées aux fumeurs
incorrigibles. Nous suggérons aux États, pour la lutte

Valeriana .

« La valériane se reconnaît à son port élégant, à sa tige couverte d'un duvet laineux, à ses feuilles épineuses ».

contre le tabagisme, de déployer de grandes banderoles et disposer des affiches le long des rues et des routes sur lesquelles on lirait «Fumez du Tussilage: votre tabagie partira en nuage!»

contre lequel vint se déposer de grandes bandes-
les et muqueuses distillées le long des raïes et des
routes du foie plein en haut et fermé du vanillage
notre risque parmi un nuage.

UTRICULAIRE
Utricularia vulgaris
famille des Utriculariacées

Ce n'est certes pas une plante aimée des poissons qui savent à quoi s'en tenir quant à sa loyauté et sa douceur. L'Utriculaire est une petite plante aquatique des rizières et des marais, sans racines, à tige immergée et munie de feuilles frangées, ressemblant plus ou moins à celles du fenouil. Or, parmi ces franges se trouvent de nombreuses petites vésicules ou utricules, d'un beau vert pâle, transparentes, presque aussi grosses qu'un petit pois. Chaque vésicule présente une ouverture au bord entouré de soies rigides et acérées; elle est en outre munie d'une valve élastique qui s'ouvre de l'extérieur vers l'intérieur: chaque vésicule est en somme un véritable piège.

Si un petit animal imprudent appuie sur la valve, celle-ci cède facilement et s'ouvre; l'hôte entre, ignorant ce qui l'attend. Une fois entré, le couvercle se referme sur lui. Le petit animal est perdu. Il a beau appuyer désespérément contre la valve en tentant de se libérer, rien n'y fait. Au contraire, et le prisonnier meurt asphyxié dans la vésicule-piège. La fin est atroce. La vésicule contient en effet un liquide très semblable au suc gastrique. La proie se décompose, se mêle à ce suc et lorsque la plante ressent les stimulations de l'appétit, elle absorbe au moyen de cellules suceuses la provision de nourriture qui se trouve dans la vésicule.

VALÉRIANE OFFICINALE
Valeriana officinalis
famille des Valérianacées

On la trouve le long des ruisseaux et des fossés, de la mer jusqu'aux collines. On la reconnaît à son port, haut, élancé, qui ne manque pas d'élégance. La tige est couverte d'un duvet laineux; les rameaux sont écartés; les feuilles sont alternes, épineuses, de couleur vert pâle; les fleurs sont jaunes. La racine a une odeur étrange: certains la trouvent agréable, d'autres par contre répugnante. Les chats aussi la trouvent agréable, cette plante porte d'ailleurs le nom d'Herbe aux chats. Les botanistes conseillent de la déraciner au printemps pour la faire sécher avant que les tiges ne se développent. On préférera les plantes qui sont âgées d'au moins trois ans. Après avoir été bien lavées dans l'eau courante, les racines seront coupées en morceaux et séchées dans un local sec et aéré. Durée de conservation: au maximum un an.

Le saviez-vous?

Le mot latin dont dérive le nom français signifie «force». Et en fait la Valériane est administrée... pour faire dormir.

VÉRONIQUE
Veronica officinalis
famille des Scrofulariacées

La Véronique, autrefois glorifiée, est aujourd'hui presque oubliée de la médecine. Des traités volumineux ont été écrits sur cette plante, mais dès le début du XIXe siècle, tous les savants étaient d'avis que les pouvoirs bénéfiques de la Véronique étaient très faibles, et tout à fait négligeables. Cette plante persistante est également connue sous le nom de «thé d'Europe». Ses fleurs sont petites, de couleur bleu pâle, les feuilles ovales ont, elles, une couleur grisâtre, elles sont velues et dentelées. La tige, velue elle aussi, est couchée sur le sol. La maturation, qui se produit habituellement en juin-juillet, doit être suivie de la récolte et de la dessication à chaleur modérée. La véronicine, les substances résineuses et le tannin, ainsi qu'une huile volatile que contient la Véronique, lui confèrent un pouvoir digestif et stomachique. La Véronique s'est également révélée efficace dans le traitement des bronchites et de l'aérophagie. L'infusion de Véronique sert d'astringent, elle est également apéritive.

VERVEINE
famille des Verbénacées

Commençons par dire que la Verveine est la plante de Vénus, ce qui laisse déjà entrevoir ses propriétés. Elle peut faire naître des passions dévorantes.

La Verveine était très estimée et respectée des anciens Romains, au point qu'ils l'appelaient Herbe sainte: un empereur souffrant de calculs à la vessie s'était servi de ses graines. Les chrétiens l'appelaient Herbe sacrée, Herbe de la Madone, Herbe de saint Jean. La Verveine était sacrée à Isis; les prêtres lui attribuaient des propriétés propitiatoires. En effet, ils la faisaient porter devant eux, quand ils allaient en ambassade. Comme on le voit, notre plante a un bon passé historique. Elle entrait, il n'y a pas si longtemps encore, dans la confection de philtres magiques.

C'est une plante persistante à petites fleurs rougeâtres disposées en épis interrompus, qui pousse dans des lieux incultes et le long des routes. Pour fleurir, elle attend la bonne saison, de mai à septembre.

On utilise de préférence les feuilles et la racine; la récolte doit avoir lieu avant la floraison.

VIOLETTE ODORANTE
Viola odorata
famille des Violacées

Elle naît le long des rives herbeuses, le long des haies, des talus, parmi l'herbe encore jaune, dès le début du printemps: fleurs à cinq pétales séparés et irréguliers, calice formé par cinq sépales très longs. Son odeur est caractéristique, très appréciée par tous, y compris par Vulcain, le dieu forgeron qui, un jour, se présenta à Vénus tout parfumé de Violette, et réussit à lui arracher un baiser.

Les chanteurs, eux aussi, devraient l'apprécier car elle peut défendre leur gorge des injures du froid et des microbes.

Les fleurs doivent être cueillies dès qu'elles apparaissent, si possible de bon matin et par beau temps. Les faire sécher immédiatement le plus rapidement possible, sur des toiles, dans un local sec et bien aéré, où elles seront conservées dans des boîtes en bois hermétiquement closes. Les feuilles, elles, peuvent être récoltées au printemps et séchées sur des claies. Quant aux racines, il faut les arracher en automne, bien les laver, et les faire sécher au soleil.

Cet ouvrage
composé en Garamond de corps 11
a été réalisé par
les Editions Famot à Genève
d'après une maquette originale.
Il a été tiré sur
papier bouffant de luxe.
Les illustrations proviennent
de l'édition italienne
de l'ouvrage,
publiée par Ferni à Genève.

Production Editions Famot
Diffusion François Beauval

Imprimé en Espagne

Printer, industria gráfica sa   Tuset, 19   Barcelona
Sant Vicenç dels Horts   1977
Depósito legal B. 563-1977 (III)

Realización: Indústria gràfica s.a., Tuset, 19 - Barcelona
Sant Vicenç dels Horts, 1977
Depósito legal B. 545-1977 (III)